Читайте все романы Александры МАРИНИНОЙ:

Адрес официального сайта Александры Марининой
в Интернете http://www.marinina.ru

Александра Маринина

ЧУВСТВО ЛЬДА

книга вторая

Москва 2006

УДК 82-3
ББК 84(2Рос-Рус)6-4
М 26

Дизайн обложки *С. Груздева*

М 26   Маринина А. Б.
        Чувство льда: Роман в 2-х книгах. Книга 2/
        А. Б. Маринина. — М.: Эксмо, 2006. — 320 с.

        ISBN 5-699-18613-1

Братья-близнецы Филановские никогда не видели своих
рано умерших родителей. Их воспитали бабушка и тетка.
И воспитали успешными, энергичными людьми. Еще с занятий фигурным катанием у них осталось «чувство льда», позво-
ляющее им держать равновесие в самых непростых жизненных ситуациях. Однако ни Александр, ни Андрей даже не
подозревают о тщательно скрываемых «скелетах в шкафу» —
неприглядных семейных тайнах. Близкие позаботились об
этом. Но прошлое, затаившись, ждет. И достаточно любой
случайности — например, этого нелепого убийства молодой
женщины, — чтобы жизнь опасно накренилась и выскользну-
ла из-под ног, как лед из-под коньков фигуриста...

УДК 82-3
ББК 84(2Рос-Рус)6-4

Ближнее Подмосковье, август 1975 года

С недавнего времени Инна Ильинична Целяева постоянно жила на даче. Оставаться в городской квартире рядом с дочерью и ее мужем, которые теперь считали ее виноватой во всех их жизненных неудачах, стало невозможно. Инна Ильинична подыскала себе работу в той части Москвы, куда могла добраться с дачи за приемлемое время, и съехала.

Всего полгода назад жизнь ее была совсем другой, и казалось, что если в ней и может что-то измениться, то только к лучшему. Муж — ученый, специалист в области кибернетики, сама она — завкафедрой марксистско-ленинской философии и научного коммунизма в престижном московском вузе, дочь закончила факультет журналистики и работала не где-нибудь, а в «Правде», главном печатном органе ЦК КПСС, и зять у Инны Ильиничны — хороший парень, спокойный, непьющий, редактор на телевидении. У детей впереди — достойная карьера, у нее с мужем — достойная обеспеченная старость, и ничего плохого в их жизни случиться не может.

Оказалось, что может. Муж Инны Ильиничны, профессор Целяев, поехал в Лондон на международный симпозиум и не вернулся. Нет, не умер скоропостижно, не попал в больницу, а просто не вернулся. Остался и попросил убежища, которое ему с радостью было предоставлено как крупному специалисту в области перспективной отрасли знаний. Инне Ильиничне немедленно предложили оставить кафедру и выйти на пенсию, поскольку пенсионного возраста она уже достигла. Но ей было всего пятьдесят шесть, и она рассчитывала поработать еще лет пятнадцать как минимум, ибо была в прекрасной форме, как физической, так и интеллектуальной, вовсю писала статьи, монографии и учебники, с блеском читала лекции и считала себя еще молодой и полной сил.

Конечно же, ее вызывали, и смотрели строго и недоверчиво, и задавали уйму вопросов, на которые она добросовестно отвечала и из которых даже младенцу было понятно, что ее считают не менее виновной, чем ее мужа — предателя Родины, ибо она наверняка все знала о его коварных планах, и потакала им, и покрывала будущего беглеца, и создавала ему всяческие условия для побега.

А она ничего не знала. И долго не верила в

то, что это правда, все надеялась, что это обычная провокация. Невозможно было поверить в то, что человек, с которым она прожила бок о бок тридцать лет, мог совершить нечто подобное. Невозможно поверить в то, что он остался на Западе. Но еще труднее поверить в то, что он сделал это вот так, тайком от жены, не сказав ей ни слова, даже не намекнув, даже не попрощавшись как-нибудь особенно, как прощаются, когда знают, что больше никогда не встретятся. Она была убеждена, что, как ученый-философ, точно знает, что в этой жизни может быть, а чего быть не может, как люди могут поступить, а как не могут, ибо это в принципе невозможно и никакой этикой не оправдывается. Оказалось, что возможно все, даже невозможное. Накануне отъезда мужа в Лондон Инна Ильинична, как обычно, помогла ему собрать и уложить вещи, он вызвал такси на восемь утра, потом они посмотрели по телевизору какой-то концерт и легли спать. Утром он съел свой обычный завтрак и, когда позвонил по телефону диспетчер таксопарка и сообщил, что машина с таким-то номером будет у подъезда через пятнадцать минут, быстро оделся, чмокнул жену в щеку, подхватил небольшой «командировочный» чемодан и ушел. И от этой обыденности их последних проведенных вместе минут Инне Ильиничне было куда больнее, чем от доносящихся со всех сторон слов о предательстве Родины.

Ее отправили на пенсию, дочь очень скоро оказалась в редакции заштатного, мало кому известного узкопрофессионального журнальчика, зятя быстренько «попросили» с Центрального телевидения, и стало понятно, что ни дочь перебежчика Целяева, ни его зять никакой карьеры уже никогда не сделают. Молодые во всем винили Инну Ильиничну, им казалось, что она не боролась, не отстаивала свое право остаться на работе, не сумела доказать собственную непричастность к чудовищному поступку мужа. Если бы она боролась, доказала и осталась, то все сразу поняли бы, что дочь и зять перебежчика тоже ни в чем не виноваты и взглядов преступного профессора не разделяют, и их никто не тронул бы. Они были молоды и искренне верили в эффективность борьбы и победу справедливости. Но... Они были молоды и по привычке считали, что все за них должны сделать те, кто старше.

Дома начался ад, которого Инна Ильинична не вынесла. Она переселилась на дачу, теплую, просторную, месяц просидела в доме затворницей, потом поняла, что нужно что-то делать, чем-то себя занять. И не мемуары писать, одиноко сидя за письменным столом и впадая в творческое глубокомыслие, а найти работу, любую, пусть самую неинтересную (на интересную ей, жене перебежчика и предателя Родины, теперь рассчитывать было сложно), но чтобы каждое утро поднимать себя по будильнику, одеваться, причесываться и куда-то идти, чем-то заниматься, быть на людях, общаться, потом возвращаться домой.

Она устроилась санитаркой в ближайшую к дачному поселку больницу, находящуюся хоть и на территории Москвы, но у самой границы между городом и областью. Драила полы, выносила и мыла судна, помогала купать в ванной тяжелых больных, которые не могли мыться самостоятельно. Постоянно сталкиваясь с умирающими молодыми мужчинами и женщинами, с брошенными, никому не нужными больными стариками, с горем, слезами и отчаянием, Инна Ильинична быстро поняла, что ее участь — далеко не самая горькая из всех возможных. Боль не сделалась менее острой, но переносить ее стало намного легче.

Сегодня у нее выходной, погода прекрасная, солнечная, но не жаркая, и Инна Ильинична отправилась на прогулку. Проходя мимо дачи Филановских, расположенной через три участка от ее собственной дачи, она заметила шестилетнего Андрюшу. Мальчик сидел на поваленном дереве напротив калитки и о чем-то напряженно размышлял.

— Доброе утро, — приветливо поздоровалась Инна Ильинична.

— Здравствуйте, Инна Ильинична, — улыбнулся в ответ мальчуган, глядя на нее печальными глазами.

Ее всегда умиляла эта ранняя взрослость соседских мальчиков, которые, едва научившись говорить, приучились называть взрослых по имени-отчеству, а не «тетями» и «дядями».

— У тебя новая прическа, — заметила она. — Правда, я тебя давно не видела, но ты, по-моему, был подстрижен по-другому.

— Да, меня так подстригли, — невозмутимо подтвердил Андрюша.

— Тебя? Или вас? У Саши теперь тоже такая прическа?

— Нет, у него как раньше.

— А почему? — живо заинтересовалась она. Все близнецы, встречавшиеся ей в жизни, стремились к одинаковости и получали несказанное удовольствие от того, что их постоянно путали. Мальчиков Филановских никто не путал, они по-разному двигались, по-разному смотрели и по-разному улыбались, но все равно раньше они были совершенно одинаково одеты и причесаны.

— Мы решили, что больше не хотим быть одинаковыми, — очень серьезно сообщил Андрюша.

— Но почему? — с еще большим удивлением спросила бывшая завкафедрой. — Что плохого в том, чтобы быть одинаковыми? Вы такие от природы, зачем же это менять?

Мальчик молча пожал плечами. Тут Инна Ильинична сообразила, что нигде поблизости не видит его брата, а ведь прежде они всегда появлялись вместе. Даже если они занимались разными делами — например, один читал, другой рисовал, мальчики все равно находились рядом друг с другом.

— А где Сашенька? — она стала оглядываться, надеясь заметить в кустах поблизости знакомую темноволосую головку.

— Он дома, на веранде, делает упражнения, нам Люба по английскому задала.

— Он дома, а ты здесь? — Инна Ильинична не переставала изумляться.

— Мне нужно подумать.

Она машинально присела рядом, не в силах совладать с любопытством. Что такое случилось с шестилетними мальчиками, которых она знала практически с рождения, потому что каждое лето они проводили в дачном соседстве? Почему они решили, что больше не хотят быть одинаковыми? О чем нужно подумать этому ребенку с печальными глазами?

— Может быть, я могу помочь тебе разобраться? — осторожно предложила она.

Андрюша задумчиво посмотрел на нее и неторопливо кивнул.

— Люба сказала, что у нас с Сашкой нет ничего своего. Только имя и внешность. А все остальное, что у нас есть, это на самом деле ее, Тамарино и дедушкино, потому что они это купили на деньги, а деньги они заработали своим трудом. А мы с Сашкой пока ничего не заработали, поэтому у нас нет ничего своего.

Инна Ильинична вздрогнула. Ну как, скажите, как можно говорить ребенку такие вещи?! Ох, Люба, Люба, даром что дипломированный педагог, а такие чудовищные слова умудрилась произнести, словно нет в ней ни капли любви к племянникам, а есть одно лишь стремление ударить побольнее, ужалить поядовитее, чтоб надолго запомнилось. Но ведь не скажешь вслух, ибо ни в коем случае нельзя критиковать родителей, это одна из непреложных заповедей педагогики, которую, увы, так часто нарушают.

И что это на Любу нашло? Впрочем, она этим летом вообще какая-то странная, на себя непохожая, смотрит словно сквозь собеседника и не видит его, не слышит, только одна холодная, тупая, как глыба льда, не то ярость, не то ненависть будто коконом окутывает старшую дочь Тамарочки Филановской. С ней и разговаривать-то неприятно, сразу озноб пробирает. Любочка никогда не была душевно теплой, но в прежние времена хотя бы видимую вежливость соблюдала, а в этом году и того нет.

— И о чем же ты думаешь? — негромко спросила она.

Андрюша поднял валяющийся возле его ног прутик, повертел в руках.

— Вот, например, этот прутик, он чей? Он лежал на земле, я его поднял и унес с собой, значит, он мой?

Ей показалось, что она уловила ход его мысли, и тут же привычная боль остро толкнулась в грудь. Ее муж, о котором она тридцать лет думала «мой», в один момент оказался вовсе не «ее». Он никому не принадлежит, он — сам по себе, со своими мыслями, желаниями и стремлениями, и его жена и дочь тоже, оказывается, вовсе не «его», потому что он легко расстался с ними, оторвал от себя и бросил на произвол судьбы. Люди так обширно и безалаберно пользуются притяжательными местоимениями, что эти местоимения превратились из обычных слов в фундамент философии, мироощущения, мировоззрения. Мое — значит, принадлежит мне, как вещь, и является таким, каким я хочу, чтобы это было. Разве можно в таком ключе думать о людях? Бред! А ведь думаем. Именно так и думаем. И относимся соответственно.

— Этот прутик, — медленно заговорила Инна Ильинична, стараясь поспеть за бешено скачущими мыслями, — принадлежит дереву, от которого он отломился. Когда-то прутик был веточкой, частью дерева. Потом что-то случилось, наверное, он заболел, высох и отломился, или кто-то шел мимо, неосторожно задел веточку и сломал ее. Понимаешь?

— Но он лежал на земле, и я его поднял. Вот я его держу в руках. Значит, он теперь мой?

— Подожди, ты очень торопишься. Случилось так, что часть дерева, часть веточки упала и превратилась в прутик. Случилось так, что ты его увидел и поднял. Значит, природа так рассчитала, чтобы у тебя была возможность его поднять и поиграть им. Природа вместе с деревом сделала тебе подарок. Но подарок — это не сам прутик, а только возможность его поднять и использовать так, как тебе хочется. Ты понимаешь разницу между самой вещью и возможностью ее использовать?

Слишком сложно, боже мой, слишком сложно, ему ведь только шесть лет, ну что он может понять из ее рассуждений? Этим рассуждениям Инна Ильинична, доктор наук, предавалась все последние месяцы, и итоги ее размышлений все еще были нечеткими, не до конца сформулированными. Как же глупо пытаться донести их до ребенка-дошкольника! Судьба подарила ей встречу с человеком, которого она любила больше тридцати лет и от которого родила дочь, но это не означает, что Целяев, которого она называла «мой муж», стал ее собственностью. Судьба подарила не человека как такового, а возможность быть рядом с ним и испытывать счастье. Как же объяснить мальчику? Может быть, попробовать через понятие «своя судьба»?

— Вот послушай, Андрюша. Весь мир состоит из молекул, молекулы — из атомов. Тебе знакомы эти слова?

— Да, — с готовностью кивнул мальчик, — нам Люба объясняла.

— А про электрическое поле и энергию тоже объясняла?

— Еще нет. Она хотела и уже начала рассказывать, но мы ничего не поняли, и она сказала, что для нас это пока сложно. Люба обещала на следующий год объяснить, когда мы с Сашкой станем умнее.

Инна Ильинична поняла, что здесь придется немного отступить. Если уж Любочка Филановская не сумела объяснить шестилетним детям, что такое электрическое поле и энергия, то ей самой это тем более не под силу, ибо Любочкины способности доходчиво излагать самые сложные вещи известны всем.

— Хорошо. Тогда просто поверь мне на слово. Молекулы и атомы, из которых состоит весь мир, живые. Они рождаются и умирают, они двигаются, у них есть энергия. Вот ты, например, бегаешь и прыгаешь, потому что у тебя есть энергия, ты живой. И ты весь, с ног до головы, состоишь из молекул. Вся твоя энергия, которая позволяет тебе бегать и вообще двигаться, это совокупная энергия молекул, из которых ты состоишь. Это понятно?

— Что такое «совокупная»?

Опять ее занесло в научную терминологию! Надо быть поаккуратней.

— Совокупная — означает суммарная. Сложенная вместе. Теперь понятно?

— Теперь да. Но ведь бегают только люди и животные. А вы говорите, что все состоит из молекул и у всего есть энергия. Почему же дома не бегают? И деревья? И прутик лежал на земле, не убежал никуда.

— Потому что все в мире состоит из разных молекул, а у разных молекул разная энергия. Что-то может двигаться само, что-то не может. Зато дерево, например, может расти вверх, ствол становится толще, веток становится больше, листья осенью опадают, а весной появляются снова, то есть происходят перемены, а это ведь тоже движение. А дом, который простоял много лет, может рухнуть, сгнить и развалиться, и это тоже движение. Я все это тебе говорю для того, чтобы ты понял: все, что состоит из молекул, — живое. Оно может казаться мертвым, неподвижным, неразвивающимся, неизменным, но это только видимость, обман. На самом деле все — живое.

— И камни? — деловито уточнил мальчик.

— И камни. Когда-то, миллион лет назад, их не было, потом они появились, стали расти, очень-очень медленно, пройдет еще миллион лет, они состарятся и рассыплются в песок. Это движение, а раз движение — значит, жизнь.

Насчет камней Инна Ильинична вообще-то не была уверена, но ей нужен был наглядный образ.

— Значит, камни тоже живые? — переспросил Андрюша.

— Все живое. И у всего есть свое предназначение, своя судьба. Никто из людей этой судьбы не знает.

— А кто знает?

— Только сама природа, которая это создавала. Но мы не можем у нее спросить, потому что не умеем разговаривать на одном языке с ней.

— Почему не умеем?

— Потому что мы никак не можем выучить этот язык.

— Он что, очень сложный?

— Очень, — твердо произнесла Инна Ильинична. — Невероятно сложный. Есть люди, которым удалось узнать и выучить отдельные слова, но разговаривать свободно мы на этом языке пока не можем.

— Он труднее английского? — недоверчиво спросил Андрюша.

— На порядки, — машинально ответила она.

— На порядки — это на сколько?

Боже мой, да почему же она все время забывает, что разговаривает с ребенком? Пришлось отвлечься еще на несколько минут и объяснить ему про «порядки». Как ни странно, мальчик довольно быстро все понял, братья Филановские давно уже свободно производили все арифметические действия в пределах тысячи.

— Так вот, мальчик мой, — Инна Ильинична вернулась к главной теме обсуждения, — каждый предмет в окружающем нас мире обладает собственной жизнью и собственной судьбой. В этой судьбе может быть предусмотрено, что предмет попадет в руки, например, Андрюше Филановскому, то есть тебе, и ты получишь, таким образом, возможность этим предметом пользоваться, получать от него удовольствие и извлекать пользу. В судьбе может быть предусмотрено, что через некоторое время предмет попадет в руки к другому человеку, и тогда ты утратишь возможность им пользоваться, а другой человек эту возможность получит. Или там будет предусмотрено, что предмет потеряется и долгое время будет лежать где-нибудь в укромном уголке, где его никто не найдет и не будет трогать. А потом он найдется, потому что такая судьба.

— А если я его сломаю?

— Значит, такая судьба. Нет, погоди, — тут же поправила себя Инна Ильинична, — я не права. Если ты сломаешь или испортишь предмет случайно, не нарочно, значит, такая у него судьба, потому что ничего случайного не бывает. Значит, в предмете с самого начала молекулы были так расположены, что их взаимодействие нарушилось от случайного движения. Таков был замысел природы. А вот если ты сломаешь или разобьешь предмет нарочно, то есть приложишь специальные усилия, чтобы его испортить, то ты поступишь плохо, потому что вмешаешься в ту судьбу, которую природа этому предмету предназначила. Ты меня понимаешь?

— Почти, — прошептал Андрюша, глядя на Инну Ильиничну огромными горящими глазами.

Почти... Смешно! Она сама плохо понимает, что говорит. Эти мысли рождались прямо здесь и сейчас, и у нее не было наготове четких продуманных формулировок, тем более рассчитанных на шестилетку. Пусть и очень развитого, но все-таки ребенка. Что он может понять из ее бессвязного бреда? Она слишком углубилась в материи, пока еще ненужные этому славному малышу. Его волнует вопрос, на что может распространиться его право собственности, не более того. На имя. На внешность. На одежду и книги — нет, ибо они куплены взрослыми на заработанные ими деньги. А на найденный прутик? Ей вполне понятно стремление мальчика расширить диапазон того, о чем можно сказать «МОЕ!» Нет, он не собственник, просто он привык пользоваться определенными понятиями, а Люба своим категорическим высказыванием выбила у ребенка почву из-под ног. Вместо того чтобы объяснить племянникам, что слово «мое» нужно для того, чтобы отличать свое и чужое, и своим можно пользоваться, а чужое брать нельзя, она перевела это в плоскость отношений собственности. Мальчишку мучает, что у него нет ничего своего, а Инна Ильинична забивает ему голову философией весьма сомнительного толка.

— Давай подведем итог, — решительно сказала она. — У каждого человека своя судьба. И у каждого предмета в нашем мире тоже есть своя судьба. Судьба — это линия, дорога, по которой мы движемся. Это понятно?

— Понятно.

— Если две линии в какой-то момент пересекаются, то что происходит? — в ней проснулся преподаватель.

— Точка пересечения, — бодро ответил Андрюша.

Значит, основы планиметрии Люба уже успела им дать. Ай да молодец!

— А если подумать?

— Ну... если пересекаются линии у двух людей, то... они встречаются, да?

— Умница! Конечно, они встречаются. А потом что происходит?

— Не знаю, — растерянно сказал мальчик.

— А ты подумай. У тебя же есть прутик, начерти им на земле две пересекающиеся линии и скажи мне, что будет дальше.

Андрюша послушно нарисовал косой крестик и долго смотрел на него.

— Получается, что люди сначала встретятся, а потом... развстретятся.

— Разойдутся, — подсказала Инна Ильинична. — И пойдут дальше каждый своей дорогой. А теперь представь себе, что одна линия — это судьба человека, а другая — судьба вещи, предмета. Что получилось?

На этот раз ответ последовал быстрее:

— Получилось, что человек нашел предмет, а потом его потерял.

— Или отдал, подарил, сломал, выбросил за ненадобностью, продал. Вариантов очень много. Суть в том, что все люди и предметы идут своей дорогой и живут собственной жизнью, то встречаясь друг с другом, то расходясь. Вот ты сегодня встретился с прутиком, значит, ваши дороги пересеклись, потом ты его выбросишь или потеряешь, и это будет означать, что ваши дороги разошлись.

— А если не потеряю? Если я его унесу домой и положу под подушку, чтобы он никуда не делся? И он будет лежать там всю жизнь? Это значит, что наши дороги всю жизнь будут вместе?

— Вряд ли, — улыбнулась Инна Ильинична. — У молекул, из которых состоит прутик, другие законы, не такие, как у молекул, из которых состоишь ты сам. Согласно этим законам прутик через некоторое время или высохнет окончательно и превратится в труху, или сгниет. Его дорога уйдет в другую сторону. Он не будет вместе с тобой всю твою жизнь.

— А если я поменяю закон?

— Это невозможно, Андрюшенька. Ты не можешь менять чужую судьбу так, как тебе удобно.

— Почему?

Действительно, почему? Еще полгода назад она была убеждена, что есть законы сосуществования людей в браке, и согласно этим законам жизнь супругов может протекать так-то и так-то, а вот так — не может ни при каких обстоятельствах. Выяснилось, что никаких законов нет, и годами устоявшийся способ сосуществования двух людей может изогнуться немыслимой петлей и выкинуть эдакий кульбитец. Поступок ее мужа изменил судьбу Инны Ильиничны, ее дочери и зятя. Впрочем, откуда ей знать, быть может, как раз такая судьба и была им предначертана, и все закономерно, все так, как там, наверху, и планировалось, а ее муж оказался всего лишь инструментом в руках судьбы, при помощи которого три человека вышли на предназначенную им дорогу.

— Потому что это неправильно, — вздохнула она. — Вот смотри, я приведу тебе пример. Ты — чудесный мальчик, умный, добрый, я к тебе очень хорошо отношусь, и ты мне очень нравишься. Допустим, я захочу, чтобы ты стал моим сыном или внуком. Как ты думаешь, это возможно?

Андрюша посмотрел на нее круглыми от изумления глазенками.

— Вы что, Инна Ильинична? Как же я могу быть вашим сыном или внуком? У меня есть мама, только она умерла. Но я же ее сын все равно. И Сашка ее сын. А Тамара — наша бабушка. У нас с Сашкой не может быть другой мамы и бабушки.

— Правильно. Значит, этот закон я по своей воле изменить не могу. Но допустим, ты мне так нравишься, что я захочу, чтобы ты жил со мной, в моем доме. Это возможно?

— Но я не хочу! — возмутился Андрюша.

— А я хочу, — невозмутимо возразила Инна Ильинична. — Я вот возьму сейчас и заберу тебя к себе. Я сильная, схвачу тебя так, что ты не вырвешься, отнесу к себе в дом и посажу под замок. То есть я сделаю так, как мне хочется, а тебя не спрошу, хочешь ли ты этого. Просто возьму и изменю твою судьбу, потому что захочу, чтобы ты был со мной всю мою жизнь. Это будет правильно?

Андрюша инстинктивно отодвинулся, с опаской глядя на Инну Ильиничну, и та чуть не рассмеялась.

— Я не хочу, — дрожащим голосом произнес мальчик. — Не надо меня забирать и сажать под замок, пожалуйста.

— Я и не собираюсь, — с трудом сохраняя серьезность, ответила она. — Потому что это будет неправильно. Ведь ты согласен, что это неправильно?

— Да, — с облегчением выдохнул он. — Я согласен. Это неправильно. А как же мы с Сашкой? Я хочу, чтобы мы были вместе всю жизнь, я без него скучаю. Получается, неправильно этого хотеть?

— Нет, почему же, хотеть ты можешь, это не запрещается. Но заставлять Сашу быть с тобой, если он сам этого не захочет, будет неправильно. Понимаешь? У Сашеньки своя дорога, и он должен будет по ней пройти, а ты не имеешь права заставлять его идти по твоей дороге. Нельзя никого заставлять — вот главный закон, который надо помнить.

Он еще немножко подумал, протянул руку, ухватился за листик растущего рядом куста малины, потянул, словно собрался оторвать, но остановился и снова повернулся к Инне Ильиничне:

— А если я сейчас листик оторву?

— Зачем?

— Просто так.

— Тогда листик очень скоро засохнет и умрет. А если ты его не оторвешь, он будет жить до осени.

— Но осенью он же все равно умрет, — возразил мальчуган. — Осенью все листья умирают.

— Конечно, — согласилась она, — разница только в том, когда он умрет — через два месяца или прямо сейчас. И еще в том, как он умрет. Если ты его оторвешь, ему будет больно, он ведь живой и все чувствует. А в октябре он умрет постепенно и никакой боли не почувствует. Если тебе его не жалко — отрывай. Только помни, что его судьба — умереть осенью, а ты собираешься эту судьбу изменить, да еще и сделать ему больно. Выбирай.

— Не буду, — он положил руку на коленку, пощупал ладошкой свежую ссадину и непроизвольно поморщился. — А ягодку можно сорвать?

— Можно, — рассмеялась Инна Ильинична.

— А почему листик нельзя, а ягодку можно?

— Потому что ягодки природа придумала специально для того, чтобы люди их срывали и ели. У ягодки судьба такая — быть съеденной.

— А если я ее сорву, она будет моя?

Андрюша снова вернулся к тому, что волновало его на сегодняшний день больше всего. Инна Ильинична мысленно поставила это себе в укор. Ребенка интересуют вопросы собственности, а она уводит обсуждение в совершенно другую плоскость и морочит ему голову всякой заумью о судьбе и предначертании. Конечно, эти вопросы связаны друг с другом, но связь эта слишком сложна и глубока для дошкольника, да и не надо ему всего этого...

— Андрюшенька, деточка моя, — она обняла мальчика и слегка прижала к себе, — не думай об этом, иначе запутаешься. Есть простое правило: твое — это то, что появилось вместе с тобой на свет и умрет тоже вместе с тобой. Например, твоя рука. Она ведь не может жить отдельно от тебя, и ее не было, пока не было тебя, и ее не будет, когда не будет тебя. Понимаешь? Твоя голова, твой мозг и мысли, которые в нем появляются, — они тоже твои. Радость, печаль, удивление, то есть чувства, которые ты испытываешь, — они тоже твои, пока ты еще не родился — их не было, и когда тебя не будет, их не будет тоже. Это все действительно ТВОЕ, — она сделала ударение на последнем слове, — и ты можешь распоряжаться этим, как тебе угодно. У всего остального есть собственная жизнь, собственная дорога, и очень часто эта дорога идет совсем не так, как тебе хотелось бы. У тебя есть любимая игрушка?

— Не-а, — он помотал головой. — У меня есть любимая книжка. Но она же не моя, ее Люба купила на свои деньги, а нам с Сашкой разрешила ее читать.

Вот же эта Люба Филановская! Ну к чему, спрашивается, говорить малышам о деньгах? Чтобы они почувствовали себя бесправными? Дети и без того кругом зависят от взрослых, на все должны испрашивать разрешение или согласие, а тут еще оказывается, что у них нет ничего своего. Любочка, конечно, талантливый педагог, с этим никто не спорит, и за ее успехи в раннем развитии племянников ей впору быть занесенной в Книгу рекордов Гиннесса, но это уж слишком!

— Вот видишь, Люба сделала так, чтобы дорога этой книжки пересеклась с твоей дорогой. Ты получил возможность ее читать и получать от этого удовольствие. А теперь скажи-ка мне, сколько раз ты ее перечитывал?

— Раз двадцать, — Андрюша пожал плечами. — Я не считал. Много раз.

— И она выглядит такой же новенькой, как была, когда Люба принесла ее из магазина?

— Вы что, Инна Ильинична! — фыркнул мальчик. — Она уже почти порвалась совсем, из нее странички выпадают, я их клеем приклеиваю, но из-за этого они плохо переворачиваются.

— Значит, книжка изменилась?

— Ну... да, — согласился он, подумав, и вдруг радостно улыбнулся: — Я понял! Она изменилась, значит, она двигается, она живая, и у нее своя дорога. Когда-нибудь она совсем-совсем порвется, и ее уже нельзя будет читать. Наверное, Люба ее выбросит. А мне будет очень грустно, я, наверное, даже плакать буду. Но я все равно не смогу сделать так, чтобы она снова стала новенькой и вернулась ко мне. Да? Наши с книжкой дороги пересеклись, я ее почитал-почитал, а потом она пошла дальше своей дорогой. Да?

— Да, — кивнула Инна Ильинична. — Именно так все и будет. Ты все правильно понял.

— А с другими предметами тоже так? Со свитером, например? Или с ботинками?

— Точно так же. Ты не можешь полностью повлиять на их судьбу. Ты можешь только радоваться, что ваши дороги в какой-то момент пересеклись и это дало тебе возможность ими пользоваться.

— Значит, это все не мое? Это все само по себе?

— Совершенно верно. И люди сами по себе, и вещи сами по себе.

Снова повисло молчание, Андрюша о чем-то напряженно размышлял, потом поднял на Инну Ильиничну просветленное лицо и произнес слова, смысл которых доктор философских наук Целяева поняла только спустя много лет, когда, будучи в годах весьма преклонных, прочла книгу Андрея Филановского «Забытые истины»:

— Все само по себе. Нет ничего моего. Ну и не надо.

Москва, март 2006 года

Нужно было потерпеть еще полчасика, ну максимум — час, но у Ксении не хватало выдержки на это напряженное ожидание. И зачем она согласилась, ну зачем? Жила себе и жила, ничего не знала, ни о чем не подозревала. Да, ребенок болеет, да, денег не хватает уже давно, да, нищета обрыдла, но ведь она так живет не первый год, и ничего, притерпелась. Главное — Митя с ней, она его любит, а он любит ее. И зачем нужно было соглашаться на эту идиотскую затею с одеванием и появлением у Мити на работе? Зародились сомнения, которые очень быстро перешли в подозрения, и если с сомнениями еще можно было как-то справиться, то подозрения засели в голове, как ржавая спираль, которая скручивается все туже и туже и в любой момент может распрямиться и разнести мозги в клочья. А тут неугомонная подруга Вика выступила с очередной инициативой, и у Ксении не хватило мужества отказаться.

— Я уверена, что никакой любовницы у твоего Мити нет, — убеждала ее энергичная и предприимчивая Вика, — и зря ты паришься. Но поскольку ты никак не можешь успокоиться и напридумывала себе черт-те чего, мы сделаем вот как: я попрошу своего кавалера проследить за Митей, он выяснит, куда твой муж уходит с работы, по каким таким делам, с кем встречается, и ты наконец успокоишься. Это будет несложно, твой Митя моего Толика не знает, так что риска никакого.

— А вдруг окажется, что у него есть любовница? — дрожащим голосом возразила Ксения. — Я не хочу этого знать.

— Да не окажется! Не окажется, вот увидишь. Зато ты будешь уже совсем уверена и перестанешь сушить себе мозги всякими глупостями.

Ксения согласилась, ей очень хотелось получить подтверждение того, что ничего страшного не происходит, и никакой женщины у ее мужа нет и в помине, и с работы он уезжает действительно по делам. Ну нет же, нет никаких оснований для беспокойства! Но накануне, в ресторане, куда они с Викой и ее Толиком зашли перекусить после неудачного посещения завода, подруга настойчиво уговаривала Ксению все проверить. И уговорила.

Около полудня Вика позвонила и сообщила, что Толик уже едет, через час примерно прибудет, если в пробку не попадет, и все обстоятельно доложит. Голос у нее подозрительно вибрировал, и Ксения догадалась, что Вика уже что-то знает.

— Что-то плохое? — робко спросила она.

— Да ничего плохого, успокойся ты! Но интересно ужасно! Толик меня по дороге подхватит, мы вместе приедем, он все расскажет, потом обсудим.

Минут через двадцать после звонка подруги Ксения поняла, что не может усидеть дома. Одела Татку и вместе с девочкой вышла на улицу и стала прохаживаться вдоль дома. Она не то что сидеть — стоять на месте не могла, словно какая-то таинственная сила заставляла ее двигаться: иди, иди вперед, уходи от того, что тебе сейчас скажут, не нужно тебе этого знать.

Машина Толика появилась даже раньше, чем Ксения ожидала. Или для нее время вдруг утратило привычную определенность, и ей казалось, что прошло всего минут пятнадцать, тогда как на самом деле миновало больше часа? Она боялась того, что ей предстоит услышать, а так всегда бывает: когда чего-то ждешь с нетерпением, время тащится медленно, как на несмазанной телеге, а когда чего-то боишься, то к страшному моменту подлетает, как на крыльях. Несправедливо...

Вика выскочила из машины взбудораженная, с горящими глазами. Толик, напротив, был спокоен и даже медлителен, не торопясь выключил двигатель, долго и тщательно пристраивал замок на рулевую колонку. Ксении вдруг захотелось, чтобы он вообще не справился с этой задачей никогда, и они бы стояли вот так, молча, до самого конца света, и не пришлось бы слушать про Митю ничего такого, из-за чего она потом потеряет сон.

Но он справился. Потом обстоятельно и демонстративно дружелюбно здоровался и разговаривал с Таткой, поднимал ее на руки, кружил, подбрасывал и целовал в лобик.

— Ну? — Вика дернула застывшую Ксению за рукав. — Так и будем стоять или все-таки чаем напоишь тружеников частного сыска?

— Да-да, конечно, — спохватилась Ксения. — Пойдемте.

И правда, неудобно как получилось, человек полдня потратил, а она ждет его на улице, словно в дом звать не хочет.

Когда гости разделись, она усадила их в «большой» комнате.

— Анатолий, — сказала она звенящим голосом, — я сейчас сделаю чай и накормлю вас, но, пожалуйста, скажите сразу, что вы узнали. Я больше не могу, я не выдержу...

Наверное, она сильно побледнела и еще, кажется, покачнулась, потому что Толик испуганно вскочил и подхватил ее под руку.

— Я в порядке, — Ксения сделала шаг в сторону и высвободила руку, — только я хочу знать про Митю.

— Твой Митя бросил работу на заводе, — выпалила Вика торжествующим голосом, — у него теперь другая работа и другая зарплата, вот поэтому он тебе и говорил, что скоро у вас будет много денег. Поняла? А ты, дурочка, переживала. Видишь, как все разрешилось?

— Как — бросил завод? А где он теперь?

— Ты сядь, подруга, — посоветовала Вика, — а то на ногах не устоишь. Сейчас ты такое узнаешь — закачаешься! Твой Митя теперь работает в издательстве «Новое знание». Ну, каково?

— Ну и что? — Ксения не поняла, почему она от такой новости должна упасть в обморок. Хотя, конечно, странно: что инженеру делать в издательстве?

— Как это «ну и что»? Ты что, не понимаешь?

— Нет, — призналась она, — не понимаю. Что ему вообще делать в издательстве? Он же не редактор и не корректор. Он обыкновенный инженер.

— Вот именно, что инженер. Он инженером и работает. Издательство занимает целое здание, четыре этажа, и там обязательно должен быть инженер, который следит за зданием в целом, за коммуникациями, лифтами и так далее. Ксюха, — Вика прищурившись посмотрела на подругу, — ты что, в самом деле не догоняешь? Ты поняла, где работает твой муж?

— Ну поняла, — сердито ответила Ксения, — в издательстве.

— «Новое знание», — подсказал Толик.

— Ну да. И что с того?

— А ты знаешь, что это за издательство? Знаешь, кому оно принадлежит?

— Не знаю. Да какая разница-то?

— Большая. Директор издательства — Александр Владимирович Филановский, внук той самой актрисы Тамары Филановской. Ну помнишь, ты мне фотографию показывала? Ты еще сказала, что у Мити своего нашла.

— Ой, господи, — простонала Ксения.

Ноги у нее подогнулись, и она тяжело упала на стул. Что это значит? Митя больше не работает на заводе, он нашел другую работу, более высокооплачиваемую, и скрыл это от нее. Почему? Что плохого в том, что она узнает о новой работе? И разговоры эти про деньги... Не может быть, чтобы инженеру в издательстве платили так много. Больше, чем на госбюджетном предприятии, — это да, но не настолько же больше, чтобы разом решить все проблемы, чтобы купить новую квартиру, обставить ее приличной мебелью и нанять няню для Татки. Ну ладно, пусть без няни, Ксения и сама с ребенком посидит, но все равно выходит ужасно много, столько, сколько обычные инженеры заработать не могут нигде и никогда. Владелец издательства — Филановский, и фотография его бабушки, известной актрисы, спрятана в Митиных вещах. И дочку он назвал Тамарой. Неужели в ее честь? Значит, мужа и в самом деле что-то связывает с этой семьей. Знакомство? Родство? Но почему он об этом не рассказывал? И при чем тут деньги?

«Будет что-то плохое, — отчетливо подумалось Ксении. — Что-то очень плохое. Надо поговорить с Митей, остановить его, пока не стало поздно. Но боже мой, как хочется избавиться от этого жалкого существования! От нищеты этой проклятой, от мутных стекол в окнах, от пятнистого потолка, от стен в ободранных обоях, от липкой истертой клеенки на кухонном столе, от облезлой вытянувшейся одежды, которую я уже не могу носить и в которой выгляжу, как больная обезьяна. Может, не надо ничего выяснять, не надо ни о чем спрашивать, пусть все будет, как Митя придумал, и пусть он достанет денег. А если он и в самом деле задумал что-то плохое? Такое, за что и посадить могут. Его посадят, и я останусь совсем одна с Таткой, и будем мы жить на одну ее пенсию, которой хватит только на то, чтобы заплатить за квартиру, да и то если коммунальные платежи не поднимут. Лекарства у Татки бесплатные, а чем ее кормить? Если Митю посадят, мы просто умрем с голоду. А если не посадят? Если он все-таки достанет деньги и ничего плохого не случится? Господи, господи, помоги мне, вразуми, как поступить, что делать? Разве мы с Таткой виноваты, что живем в стране, которой наплевать на людей? Я могла бы работать, и нам было бы полегче в материальном плане, но разве я виновата, что нашему государству наплевать на детей-инвалидов и оно не думает о том, что с ними должен кто-то сидеть, потому что их нельзя отдавать ни в ясли, ни в детский садик, а некоторых и в обычную школу посылать нельзя. Неужели не понятно, что если ребенок болен и мать вынуждена бросить работу и сидеть дома, то три человека как минимум должны жить на одну зарплату отца, если он вообще есть. А если его нет? Что тогда делать? Пойти и повеситься? Господи милосердный, дай мне знак, научи правильно думать, вразуми меня...»

* * *

Для Наны Ким устраиваемые руководством издательства «Новое знание» корпоративные вечеринки были не развлечением, как для всех прочих сотрудников, а работой. При всей своей любви к подчиненным и готовности потворствовать их слабостям Александр Владимирович Филановский был в то же время необычайно требователен к ним, в том числе и во всем, что касалось их внешнего вида и поведения. На вечеринках все должны были веселиться, с удовольствием поедать все, что предлагалось (надо ли говорить, что меню директор издательства составлял и утверждал самолично, включая в него те закуски и блюда, которые ему нравились и которые именно по этой причине должны нравиться всем окружающим), много пить (а иначе что это за праздник?), но при этом сохранять лицо и не напиваться до безобразия. Вот за последним пунктом как раз и полагалось следить службе безопасности. Пьяных Филановский не терпел совершенно, и если кто-то из сотрудников превышал свою норму и начинал вести себя не вполне адекватно или просто плохо себя чувствовал, крайними тут же оказывались сотрудники возглавляемой Наной Ким службы. Недоглядели, не пресекли вовремя, не вывели из помещения клуба и не организовали доставку к месту жительства, допустили, чтобы директор увидел и расстроился. Какой кошмар...

Кроме того, подчиненным Наны следовало следить за тем, чтобы приглашенные почетные гости, не являющиеся сотрудниками издательства, например авторы, журналисты или какие-нибудь депутаты какой-нибудь думы, не потерялись, не скучали и не испытывали недостатка внимания. Нана неоднократно предлагала Филановскому создать нечто вроде протокольного отдела, который всем этим и занимался бы, рассылал приглашения, встречал, водил за ручку и провожал дорогих гостей, а заодно следил бы за днями рождений и прочими значительными «датами» всяческих уважаемых персон и готовил поздравления и подарки, но Александр отмахивался, хотя и обещал подумать. Думал он уже года два, но решения пока так и не принял.

На саму Нану возлагалась обязанность опекать старших членов семьи Филановского, поэтому ровно в семь вечера она стояла у входа в клуб, ожидая, когда подъедет машина, на которой должны прибыть Тамара Леонидовна с сиделкой и Любовь Григорьевна. Андрея и его девушку, как людей без особых претензий, доверялось встретить кому-нибудь из рядовых сотрудников службы безопасности, но бабушка и тетка директора — прерогатива руководства.

Едва машина затормозила перед входом, Нана подлетела к ней, чтобы вместе с сиделкой помочь Тамаре Леонидовне вылезти и дойти до зала, где для нее было приготовлено специальное почетное кресло. Сидевшая впереди, рядом с водителем, Любовь Григорьевна вышла из машины последней, и Нана скорее почувствовала, чем заметила острый недоверчивый и одновременно тревожный взгляд, который бросила на нее тетка Александра. Ну да, все правильно, она дала Нане поручение и просила не говорить об этом ее племянникам, вот и беспокоится, сдержала Нана данное слово или нет. Странно, откуда в ней вдруг появилось это беспокойство? Сколько Нана знала эту женщину — никогда у Любови Григорьевны не зарождалось и тени сомнения в том, что ее указания и просьбы будут выполнены. Конечно, будут. Разве ученики смеют не послушаться учителя? И хотя она давным-давно оставила школьное преподавание и занималась академической наукой, эта уверенность ее так и не покинула. А может быть, и наоборот, подумала Нана, эта уверенность в ней заложена с самого рождения, именно поэтому она так успешно справлялась с самыми трудными классами. Известно, что не слушаются чаще всего как раз тех людей, которые в принципе допускают такую возможность и боятся, что это произойдет. Вот оно и происходит. Как говорится, не каркай, не накликай беду.

Тамара Леонидовна была великолепна. Бог весть какие уколы, массажи и прочие процедуры проделала сиделка, но старая актриса выглядела царственно, и ни тяжелые шаркающие шаги, ни палка в руке не могли затмить ее прямой спины и гордо поднятой головы. Глаза под морщинистыми веками живо блестели и излучали радость и интерес к происходящему.

— Деточка, далеко еще до моего кресла? — спросила она Нану, преодолевая второй марш лестницы.

— Через три ступеньки, — весело ответила Нана. — Уже почти пришли. У вас дивное платье, Тамара Леонидовна.

— Это Сашенька выбирал. У него отменный вкус.

Ну кто бы сомневался. Насчет вкуса Александра Филановского Нана, при всей своей безоглядной любви к нему, могла бы и поспорить, но в том, что бабка и тетка оделись на вечеринку в строгом соответствии с его представлениями о красоте, сомнений быть не могло. Интересно, а у Саши бывают подозрения, что его могут ослушаться? Или у него это наследственное?

Через полчаса Нану, стоявшую метрах в двух от кресла Тамары Леонидовны и зорко следившую за тем, чтобы у бабушки директора все было в порядке, тронул за плечо Филановский.

— Нанусь, ты Андрюху не видела?

— Нет. По-моему, они с Катериной еще не приехали. Во всяком случае, мне не докладывали, что встретили их. Узнать?

— Да, будь добра, — он кивнул кому-то, находящемуся у Наны за спиной, и торопливо бросил: — Иду, иду, секунду.

И мгновенно исчез. Нана связалась с сотрудником, которому поручено было встретить Андрея, но тот сказал, что брат директора пока не приезжал. Нана закрутила головой, пытаясь отыскать глазами Александра, но тот из поля ее зрения исчез. Набрала номер его мобильного, но Филановский на звонок не ответил — наверное, просто не слышит, что телефон звонит, немудрено в таком-то гвалте на фоне оглушительной музыки. Она перехватила проходящую мимо Анну Карловну:

— Анна Карловна, голубушка, я не могу пост оставить, — она выразительно кивнула в сторону кресла, на котором торжественно восседала Тамара Леонидовна, — а мне нужно сказать два слова Александру Владимировичу. Вы не поможете?

— Разумеется, я все передам. Александр Владимирович в соседнем зале, разговаривает с директором клуба, я его только что видела.

Едва Анна Карловна удалилась, Нана увидела, как в зал входит Антон Тодоров, ведя под ручку Веру Борисовну Червоненко, ее любимого тренера. Нана заулыбалась и замахала рукой, Антон махнул в ответ и подвел Веру Борисовну к ней.

— Я уже виделась с Сашей, — радостно заговорила Вера Борисовна. — Хорош. Куда лучше, чем по телевизору. А где Андрюша?

— Пока не приехал. Вера Борисовна, вы хотите походить здесь, потусоваться или предпочитаете со мной постоять? У меня здесь пост по охране старшего поколения, — пошутила Нана, показывая глазами на старую актрису и стоящую около нее Любовь Григорьевну.

— Да ну, Наночка, куда мне тусоваться, я же

никого тут не знаю. Если это удобно, я лучше с тобой рядом побуду, а ты мне про всех будешь рассказывать. Вот, например, кто эта дама, к которой твой Антон только что подошел?

— Эта наша тетушка, Любовь Григорьевна.

— Да что ты? — изумилась Вера Борисовна. — Никогда не узнала бы ее, хотя ты мне столько фотографий показывала... И сколько же ей лет?

— Если не ошибаюсь, шестьдесят три. По-моему, шестьдесят четыре еще не исполнилось.

— Выглядит потрясающе, — не то завистливо, не то восхищенно вздохнула тренер. — Есть же бабы, у которых фигура с годами не портится! Не то что у меня. А вон та красотка в красном платье — это, кажется, Сашина жена, да?

— Совершенно верно, — подтвердила Нана, — это Елена.

— Тоже хороша, — удовлетворенно констатировала Вера Борисовна. — Красивая пара получилась. Слушай, а кто эта девушка там, за колонной?

— Где? — Нана прищурилась, напрягая зрение.

— Ну вон же, в черном джемпере! Как она смотрит на Сашину жену! Там что, ревность без конца и края?

Нана наконец поняла, о ком спрашивает Вера Борисовна, и усмехнулась:

— А это, дорогая Вера Борисовна, бывшая Сашина любовница, которая теперь у нас работает. Так что насчет ревности вы точно угадали.

Вера Борисовна покачала головой.

— Ну Сашка, ну Филановский... Совсем обалдел.

Последней реплики Нана, впрочем, не услышала, потому что завибрировал ее мобильник, лежащий в нагрудном кармане строгого «офисного» пиджака.

— Нанусь, — послышался голос Александра, — будь другом, позвони Андрюхе, узнай, что там и как, почему они задерживаются. Может, они в аварию попали, тогда надо будет организовать...

— Да-да, я поняла, — прервала его Нана. — Сейчас позвоню.

Если Андрей с Катериной увязли в ДТП, придется посылать к месту происшествия двух сотрудников с машиной. Один останется выяснять отношения и ждать представителей страховой компании, после чего займется перегонкой автомобиля, в зависимости от степени поврежденности, либо к клубу, либо в сервис, а второй повезет Андрея и Катерину на вечеринку. Будем надеяться, Андрей уже написал и подписал все документы, которые необходимо заполнять лично участнику ДТП, а все остальное сделает служба безопасности, конкретно — Антон Тодоров, специалист по деликатным поручениям, умеющий и имеющий возможность договариваться с милицией любого уровня.

— Мы не приедем, — невозмутимо сообщил Андрей, ответивший на ее звонок, — Кате нездоровится. Так что не ждите нас.

— А что с Катей? — заволновалась Нана.

— Да что-то она не в настроении, квелая какая-то. Голова у нее болит, и вообще...

— Что — вообще, Андрюша?! — взорвалась она. — Саша вас ждет, вас человек на улице встречает, стоит, между прочим, в одном костюме, а сейчас март, а не июнь, если ты не забыл! Неужели нельзя было позвонить брату и предупредить?

— Но я звонил, — ей показалось, что Андрей страшно удивился. — Я звонил Сашке час назад и все объяснил. Катя с утра плохо себя чувствует, и я Сашку еще днем предупредил, что мы вряд ли сможем прийти, я же был сегодня в издательстве и виделся с ним. А потом, уже из дома, перезвонил ему, когда стало понятно, что Катюха точно не поедет. Так что он в курсе. Он что, не сказал тебе? Может, забыл?

— Я... не знаю, — Нана растерялась. — Замотался, наверное. Извини, Андрюша. Я на тебя не по делу наорала.

— Да ничего, бывает. Веселитесь там за нас тоже, ладно?

Черт знает что! Ну и в какое положение ее поставил Александр Филановский? Она с досадой захлопнула складной телефончик и сунула его в карман. Надо найти Александра и выяснить, что происходит. Звонить бесполезно, он все равно звонка не слышит. Просто удивительно, как он ухитряется так обращаться с телефоном, что до него невозможно дозвониться как раз тогда, когда он срочно нужен.

— Что случилось? — спросила Вера Борисовна, вероятно заметив, что Нана разозлилась не на шутку.

— Да у Саши совсем крышу снесло, — сердито ответила она. — Велел мне дозвониться до Андрея, выяснить, почему он до сих пор не приехал, а Андрюша, оказывается, час назад звонил ему и предупредил, что они не приедут. Я как дура Андрею выволочку устраиваю, а он ее, как выяснилось, и не заслужил. Чувствую теперь себя виноватой. И Саша тоже хорош, забыл, что Андрей ему звонил. Бардак какой-то, честное слово!

— Это где бардак? — раздался у нее за правым плечом веселый голос Филановского. — Это кто тут жалуется на жизнь?

Нана резко обернулась и уставилась горящими от негодования глазами прямо в лицо шефу.

— Александр Владимирович, — отчеканила она, — я только что разговаривала с Андреем Владимировичем, и выяснилось, что он звонил вам некоторое время назад и предупредил, что приехать не сможет.

— Ну и что? — несказанно удивился Филановский, причем удивление его было совершенно искренним.

— Как — что? Вы знали, что они с Катей не приедут, зачем же вы заставили меня звонить и выяснять причину их задержки?

— Во-первых, Нанусь, прекрати называть меня на «вы», а то я могу подумать, что ты на меня сердишься, — он обаятельно улыбнулся, притянул Нану к себе и поцеловал в висок, при этом подмигнув Вере Борисовне. — А во-вторых, какое значение имеет, звонил он мне или нет и что при этом говорил? Да, он промямлил что-то насчет того, что Катя, дескать, плохо себя чувствует, но мы-то с тобой понимаем, что это пустые отговорки. Я ему так и сказал. И еще я сказал, что все равно буду его ждать, и пусть он не валяет дурака, а приезжает вместе со своей красавицей. На нашей вечеринке любое недомогание пройдет. Ведь пройдет, правда, Вера Борисовна?

Тренер неопределенно пожала плечами и деликатно отвернулась, хотя Нана точно знала, что Вера Борисовна все поняла. Вчера вечером они долго разговаривали по телефону, и Нана поведала ей давешнюю эпопею с участием Катерины в массовом пересадочно-цветочном забеге и с попыткой Александра уклониться от встречи с девушкой.

Висок, к которому минуту назад прикоснулись губы Филановского, горел и почему-то чесался, и Нане смертельно хотелось погладить это место пальцами, но пришлось сдержаться.

— Саша, — заговорила она уже мягче, — может быть, не стоит заставлять Андрея, если он не хочет приезжать? Ну бывает же, что у людей просто нет настроения.

— Что значит — нет настроения? — Филановский приподнял брови. — Нет — так будет. У нас есть нерушимые традиции. На моих корпоративных вечеринках всегда присутствует вся семья. И это правило никогда и никем не нарушалось. И сегодня я не позволю какой-то соплячке его нарушить. Думаешь, я не понимаю, что это Катерина Андрюху накрутила? Обиделась на меня за вчерашнее, вот и дуется теперь, и Андрюху против меня настраивает. А я тебе уже говорил: я никому не позволю встать между мной и братом. Мы с ним связаны вот так, — он поднял перед Наной сцепленные пальцами руки, — и разорвать эту связь я не дам. Понятно? Голову оторву любому, кто попытается. Так что давай, Манусь, действуй.

— То есть?

— Ну, пошли кого-нибудь из своих ребят, кто понастойчивее, пусть поедут и привезут их. Я сам позвоню Андрюхе, скажу, чтобы не валял дурака. Я его знаю, он человек мягкий и вежливый, не то что я, — Александр рассмеялся и снова приобнял Нану, — уговорить его сесть за руль я по телефону не смогу, а вот когда в дверь позвонит человек и скажет, что машина стоит у подъезда, он не сможет отказаться хотя бы из вежливости: все-таки человек ехал, трудился, время тратил.

Нана посмотрела на часы и скептически покачала головой.

— Саша, уже без четверти восемь. В Москве пробки. Пока Андрея и Катю привезут, будет часов десять, если не больше. Гулять мы будем максимум до полуночи. Имеет ли смысл все это затевать ради двух часов?

Лицо Филановского вмиг стало жестким и недобрым.

— Это имеет смысл даже в том случае, если бы речь шла о десяти минутах, — холодно ответил он. — Андрюха должен знать, что никакой

мой праздник невозможен без него. А эта девица должна понять наконец, что ее интересы в
сравнении с нашим братством — полный и аб-
солютный ноль. Особенно если речь идет об
интересах меркантильных и подлых. Давай, Нанусь, посылай машину. И предупреди своего
бойца, что никакие отговорки не принимаются.
Если он не привезет ребят, завтра будет уволен.

— Завтра праздник, Восьмое марта, — на-
напомнила Нана с улыбкой.

— Ну, значит, послезавтра.

И снова лицо его преобразилось до неузна-
ваемости, глаза засияли добротой и готовностью смеяться и веселиться.

— Вера Борисовна, — он подхватил тренера
под руку, — что вам тут стоять? Пойдемте, я по-
знакомлю вас с сотрудниками редакции, по которой у нас идет литература о спорте и здоро-
вом образе жизни. И вообще, нам с вами надо
выпить, закусить, потанцевать и поговорить о
жизни. Что вы вцепились в Нану? Вы, насколько
мне известно, и без того регулярно общаетесь, а
со мной вы четверть века не виделись, так уделите мне полчаса. Потом у нас будет торжествен-
ная часть, я скажу несколько слов, поздравлю
женщин, вручу подарки нашим самым неутоми-
мым труженицам, а заодно и вас публично
представлю, чтобы вас все знали и в лицо, и по
имени.

— Зачем? — не поняла Вера Борисовна.

— Выдающихся авторов должны знать в издательстве все, включая охрану.

— Но я не автор и совершенно не выдающаяся, — возразила она.

— Вы пока еще не автор, — поправил ее Филановский. — Но это всего лишь вопрос времени. Я уверен, что смогу вас сподвигнуть на написание книги. Мы издадим ее большим тиражом, художники сделают интересную обложку, разработаем хорошую рекламную кампанию...

Александр сел на своего любимого конька и повлек Веру Борисовну в сторону бара с напитками и стола с закусками. Нана вздохнула и посмотрела в другой конец зала, где Антон Тодоров о чем-то разговаривал с Любовью Григорьевной. Придется прервать их беседу. Кого, кроме Тодорова, который, разумеется, в курсе проблемы с Катериной, она могла бы послать с заданием привезти Андрея? Только его, Антона. Умного, тонкого, невозмутимого, умеющего добиваться своего.

* * *

Оставив Веру Борисовну на попечение Наны, Антон подошел к Любови Григорьевне.

— Вы не уделите мне несколько минут? — негромко спросил он, наклонясь к ее уху, чтобы не напрягать голос в попытках перекричать доносящуюся из соседнего зала музыку.

Любовь Григорьевна молча кивнула и медленно пошла в сторону двери, ведущей в холл. Тодоров шел следом. Сделав несколько шагов, она обернулась. Мать, сидя в кресле, о чем-то оживленно разговаривала с заведующей редакцией мемуарной литературы. Сиделка у нее за спиной, держит высокий стакан с каким-то напитком и тарелочку с закусками. Нана стоит неподалеку, наблюдает. Кажется, все в порядке, вполне можно отойти минут на десять. Похоже, мать в хорошем настроении, и есть надежда, что ей не придет в голову начать валять дурака и изображать полоумную.

У самого выхода в холл она остановилась и вопросительно взглянула на Тодорова.

— Может быть, лучше выйдем? — предложил он. — Там потише.

Любовь Григорьевна сделала еще шаг, обернулась и поняла, что с этой позиции ей не видны ни мать, ни сиделка, которая должна была подать знак, если что-то пойдет не так. Она тут же вернулась на прежнее место.

— Извините, Антон, — сухо проговорила она, — мне необходимо видеть Тамару Леонидовну, я не могу оставить ее без присмотра.

— Как скажете. Любовь Григорьевна, я продолжаю работать над вашим поручением.

— И как успехи?

Ей хотелось, чтобы это прозвучало небрежно, словно не очень-то и важен для нее результат.

— Я нашел сына Юрцевича.

Ну слава богу! Сейчас все выяснится, она договорится с Антоном, чтобы он заставил этого подонка прекратить ее шантажировать, он все выполнит, и можно будет забыть об этой прискорбной истории.

— Ну? Что вы молчите, Антон? Он вам объяснил, что означают эти чудовищные письма? Чего он добивается? Чего он хочет от меня? Денег? Услуг?

— Любовь Григорьевна, боюсь, вам это не понравится, но молодой Юрцевич никаких писем вам не писал. Во всяком случае, у меня есть очень большие сомнения.

— Да какие же могут быть сомнения! Вы что, Антон? Конечно, это он их писал. Я совершенно уверена. Наверняка это какой-нибудь нищенствующий неудачник, безработный или больной, узнал когда-то от своего папаши, что у него есть единокровные братья, а теперь, когда отца не стало, решил поживиться. О том, что один из его братьев — состоятельный человек, узнать нетрудно, Сашино имя то и дело мелькает в прессе. Ну? Я угадала? Он нуждается в деньгах?

— Нет, Любовь Григорьевна, он ни в чем не нуждается. У него есть все, что ему нужно. Более того, в последний месяц его вообще не было в Москве, он находился за границей по делам бизнеса. Да он, собственно говоря, до сих пор там.

— Это ничего не значит, — резко бросила Любовь Григорьевна. — Он мог написать эти письма заранее и оставить кому-нибудь поручение класть их в мой почтовый ящик. Да и необязательно вовсе, что он сам писал эти письма. На компьютере кто угодно может написать что угодно.

Она пыталась убедить Тодорова, а заодно и саму себя. Пусть автором писем будет Юрцевич, если уж не старший, то младший, какая разница? В том, что произошло с его отцом, ее собственной вины нет никакой, все это было задумано и осуществлено Тамарой Леонидовной и ее приятелем из КГБ, Любовь Григорьевна даже имени его не знает, так что по поводу двух судимостей Сергея Юрцевича она готова была вступить в любые переговоры, не боясь выйти из них побежденной.

— Разумеется, он мог написать письма заранее и мог оставить кому-то поручение, — согласился Тодоров, — но зачем? Зачем, Любовь Григорьевна? Какой в этом смысл?

— Чтобы получить деньги, — твердо ответила она.

— Какие деньги? Сколько? Ну вы сами подумайте, если у человека собственный бизнес, причем весьма и весьма успешный, он не станет связываться с шантажом ради получения трех-пяти тысяч долларов. Они ему просто не нужны. При его уровне достатка я бы понимал, если бы речь шла о миллионе-другом, но он абсолютно здравый и адекватный человек и понимает, что никакого миллиона с вас получить невозможно, у вас его нет, и взять его негде. Вы не можете попросить у Александра Владимировича миллион долларов просто так, на карманные расходы, не объясняя, зачем они вам нужны. Три тысячи — можете, и даже пять можете, а миллион — нет.

— Откуда вам известно, что он здравый и адекватный? — надменно спросила Любовь Григорьевна. — Вы что, виделись с ним? Вы же сказали, что он сейчас находится за границей.

— Я говорил с ним по телефону.

— И что он вам сказал? Что впервые слышит мое имя? Что фамилия «Филановские» ему не известна? Антон, вот уж не думала, что вы так доверчивы!

— Он сказал, что прекрасно осведомлен о своем родстве с семьей народной артистки Тамары Филановской, но это не имеет для него ни малейшего значения. У него вполне успешная и состоявшаяся жизнь, и он не испытывает никакого желания общаться с единокровными братьями, хотя книгу Андрея Владимировича он прочел, все-таки автор — сын его отца, и книга показалась ему весьма любопытной. Он порадовался, что творческие способности передались от его отца к внебрачному сыну, то есть не пропали втуне, ибо сам Юрцевич-младший считает себя личностью совершенно не творческой, зато способной к бизнесу, умеет делать деньги из ничего, на пустом месте.

— Ну, это у него тоже от папаши, — презрительно фыркнула Любовь Григорьевна, — Сергей имел две судимости за финансовые махинации. Разумеется, письма — дело рук его сыночка, теперь я еще больше уверена. Вы говорите, его нет в Москве? Это все объясняет.

— Что именно?

— То, что в письмах нет никаких требований. Только угроза. И даже не сама угроза, а лишь намек на нее. Если Юрцевича нет в Москве, как он может что-то от меня требовать? А вдруг я соглашусь? Кто же придет за деньгами, если его самого нет? Он пытается меня запугать, вывести из равновесия, а к тому моменту, когда он вернется, я уже буду на грани нервного срыва и на все готова. И тогда ему останется только написать последнее письмо, уже с требованием конкретной суммы и условиями передачи, — и все, дело сделано. Вот в чем состоит его план. Ах, подонок! А кстати, Антон, почему вы так уверены, что он действительно за границей? Вы проверяли? Уверена, что нет. Вы просто разговаривали с ним по телефону, причем наверняка по мобильному, так откуда же вы можете знать, где он на самом деле находится? Вам сказали, что он уехал, и вы поверили, но не проверили. Вы слишком доверчивы, мой дорогой, так нельзя работать. Он сидит где-нибудь здесь, в Москве, и ловко делает вид, что уехал и к письмам никакого отношения не имеет. Он лжет.

— Я не уверен, что вы правы, Любовь Григорьевна, — осторожно возразил Тодоров.

— А я уверена! Я совершенно уверена, — повторила она, чуть сбавив тон. — Дождитесь, когда он появится, и загоните его в угол. Не мне вас учить, вы за это зарплату получаете.

Она уже поверила сама себе, и ей стало немного легче. Ну конечно, это он, сын Юрцевича, шлет ей письма с туманными угрозами. Сидит себе за границей и ждет, когда клиент дозреет. Точно он. Больше некому.

* * *

То, что Александр Филановский пышно именовал «торжественной частью», прошло вовсе не торжественно, а скорее радостно, непринужденно и весело, как всегда бывало на издательских вечеринках. Женщин поздравили, самых лучших — отметили дорогостоящими подарками, послушали выступление трех популярных исполнителей, а также познакомились с людьми, которых директор лично представил собравшимся: с новой сотрудницей отдела рекламы Мариной Савицкой и с будущим автором, заслуженным тренером Верой Борисовной Черvoненко.

Уже перевалило за десять вечера, съедено и выпито было немало, и народ разошелся вовсю. К удивлению и облегчению Наны Ким, Тодорову удалось довольно быстро доставить в клуб Андрея и Катю, он хорошо знал Москву и обладал поистине немыслимой ловкостью в деле объезда транспортных пробок какими-то никому не известными проулками и сквозными дворами. Андрей был, как обычно, спокоен и улыбчив, в джинсах и свитере, Катерина же появилась на вечеринке в чем-то вызывающе облегающем и блестящем и с таким напряженным лицом, будто собиралась кинуться в решительный бой. Оставив Андрея возле Тамары Леонидовны и тетушки, девушка направилась в соседний зал, где сотрудники издательства танцевали под живую музыку.

— Андрюша, я отойду, — Нана вопросительно посмотрела на Андрея, словно ожидая разрешения. — Ты побудешь здесь?

— Конечно, — кивнул он, — если что — я тебя позову. Иди, ни о чем не беспокойся.

Она подошла к танцующим и оглядела диспозицию. Александр ловко выделывал замысловатые па в паре со своей женой, Марина Савицкая, новая сотрудница из числа «Сашиных бывших», стояла в сторонке, одинокая и какая-то потерянная, стараясь не смотреть в ту сторону, где ее недавний любовник с сияющей улыбкой обнимал жену, а Катерина, напротив, смотрела на Филановского пристально, в упор. Нана поняла, что девушка выбирает момент, чтобы предложить ему потанцевать. Интересно, как Саша будет выкручиваться? В любом случае ей, Нане, следует быть наготове, чтобы в любой момент кинуться «разруливать» ситуацию, например, отозвать шефа по якобы срочному делу или под любым предлогом увести Катю.

Начался следующий танец, медленный, и Катерина быстро направилась туда, где стояли Александр и Елена, его супруга. Филановский едва успел взять с подноса бокал, даже глотка не сделал, как Катя заговорила с ним. Точно, подумала Нана, приглашает его на танец. Как он сможет отказаться в присутствии жены? Никогда прежде не отказывался, раньше на вечеринках с удовольствием отплясывал с подружками брата, а тут вдруг... Придется ведь как-то потом объяснять Елене свой отказ. Уж проще согласиться. Со своего места Нана видела, как рассмеялась и кивнула Елена, как взяла у мужа бокал, отошла на несколько шагов, остановилась возле столика с пепельницей, закурила, а Катя потащила Александра в самую гущу танцующих. Филановский закрутил головой, будто ища кого-то, и Нана подняла вверх руку с зажатым в ней мобильником, дескать, вот она — я, если надо — я здесь, и срочный неотложный звонок, на который тебе просто жизненно необходимо ответить, тоже наличествует, можешь воспользоваться, если надо. Он заметил ее, кивнул, и на лице его мелькнула благодарная улыбка. Ни о чем подобном они заранее не договаривались, но Нана знала, что они понимают друг друга без слов. На своего руководителя службы безопасности любвеобильный директор издательства всегда мог положиться.

Филановский возник рядом с Наной через минуту, молча взял у нее телефон, приложил к уху, делая вид, что разговаривает с абонентом, на самом деле обращаясь к Нане:

— Спасибо, Нанусь. Ты настоящий друг.

Он торопливо двинулся к выходу из зала, в холл, где потише, что выглядело совершенно естественно: при такой оглушительной музыке никакие телефонные переговоры невозможны. Нана молча шла за ним, спиной чувствуя ненавидящий взгляд, которым провожала их Катерина. Выйдя в холл, Александр уселся на диван и жестом указал Нане на место рядом с собой, мол, присядь. Она послушно села и забрала у него свой телефон.

— Слушай, ну и настырная же девка, — произнес он с каким-то даже удивлением. — Похоже, она ничего не поняла. Я так старался дать ей понять, чтобы не лезла ко мне, а она все равно лезет. Придется поговорить с ней по-мужски.

— По-мужски — это как?

— Откровенно. Называя вещи своими именами. Не хватало еще мне с Андрюхой из-за нее поссориться! Сроду такого не было, чтобы между нами баба встала, а тут — на тебе! Может, посоветуешь что-нибудь?

Нана отрицательно покачала головой.

— Саша, я в таких делах не советчик. Если девочка не понимает деликатного обращения, ей придется все объяснять на словах, тут ты прав. Вопрос только в том, кто эти слова произнесет, ты сам или кто-то другой. Тебе нужен мой совет касательно личности переговорщика?

— Еще чего! — фыркнул Филановский. — Это мое личное дело, и сделать его я должен сам. К тому же ситуация действительно пикантная, и получится некрасиво, если Катерина поймет, что в нее посвящены посторонние.

— Ой, Саня, да твоими стараниями уже половина издательства обо всем знает или по крайней мере догадывается.

— Разве?

— Конечно. Ты вчера так старался, что... Ладно.

Нана вздохнула и махнула рукой.

— Нет уж, договаривай. Что там еще произошло?

— Да ревела белугой твоя Катерина, во всех кабинетах было слышно. И мальчик-компьютерщик, который ее по коридорам водил, все видел: и как она записку читала, и как побелела сначала, потом стала пунцовой, ворвалась в комнату, куда Карловна ее дубленку запихнула, схватила ее, даже не поздоровалась, глазами только сверкала, и помчалась, сметая всех на своем пути. Да, кстати, пока не забыла: Саша, надо наводить порядок с охраной, уже больше нельзя терпеть это разгильдяйство.

— А какая связь между Катей и охраной? Почему это оказалось «кстати»? — не понял Филановский.

— Потому что Катерина прискакала в комнату охраны, проревелась как следует, умылась и сидела у них часа полтора еще, чаи распивала и байки травила. Это что, по-твоему, порядок? Это так и надо? В комнате охраны не должно быть посторонних вообще, там люди с оружием сидят, а у них постоянно кто-то трется. Саша, через месяц у нас заканчивается договор с «Цезарем», и я настоятельно прошу тебя его больше не продлевать. Я найду другое охранное агентство, где дисциплина получше.

— Нанусь, — он примирительно улыбнулся и снова потрепал Нану по руке, но в пылу гнева она этого ухитрилась не заметить, — не гони волну, все будет в порядке. Если тебя это так достает, я поговорю с Борькой. А насчет договора ты погорячилась.

Ну конечно, погорячилась она, как же! Служба безопасности издательства не имеет лицензии на осуществление охранной деятельности, соответственно, и права на ношение оружия нет, поэтому издательство заключило договор с частным охранным агентством, обладающим всеми необходимыми разрешениями и прочими бумажками. Люди из агентства «Цезарь» дежурили в издательстве вместе с подчиненными Наны. На всякий случай. Мало ли что. И террористы есть на свете, и ворье всякое. Кроме того, они осуществляли сопровождение инкассаторов, когда из банка привозили зарплату. Надо ли говорить, что хозяином агентства был какой-то знакомый Александра Филановского, и сколько бы Нана ни жаловалась директору, сколько бы ни писала докладных о нарушениях, ежедневно допускаемых парнями из «Цезаря», Александр только улыбался и просил «не гнать волну». Ссориться с приятелем ему не хотелось. «Цезарь» буквально на ладан дышал, когда Филановский, желая помочь приятелю, велел Нане заключить с ними договор на охранные услуги, и только благодаря этому договору агентство до сих пор как-то существовало. Не перезаключить с ними договор означало бы выкопать могилу фирме и поставить в сложное положение ее владельца, Бориса Родюкова.

— Ты представляешь, — Филановский ловко ускользнул от неприятной темы и снова вернулся к Катерине, — пока мы через толпу пробирались, она уже ухитрилась бюстом к моему локтю прижаться, а как только танцевать начали, так вообще полный караул. Она явно танцпол с постелью перепутала, а меня — с Андрюхой. Нет, надо срочно что-то делать, пока он не просек поляну и не начал ревновать, иначе мы потом сто лет это дерьмо не разгребем.

— А ты не преувеличиваешь? — недоверчиво спросила Нана.

— Насчет Кати?

— Да нет, насчет Кати я не сомневаюсь, тут все видно невооруженным глазом, я специально присмотрелась. Я имею в виду: насчет тебя и Андрея. Может, ты зря беспокоишься?

— Не зря, Нанусь, не зря, — он потрепал ее по руке, в которой все еще был зажат мобильный телефон. Нана вздрогнула, как всегда вздрагивала от его прикосновений, и тут же опасливо глянула на шефа: не заметил ли? Нет, не заметил, обошлось. — Единожды солгавший, кто тебе поверит? До сих пор у Андрюхи никогда не было повода опасаться, что я могу увести у него бабу, потому что я действительно никогда этого не делал. Стоит ему хотя бы один раз что-то заподозрить — и все, хана. Он перестанет знакомить меня со своими подругами, перестанет приходить с ними ко мне в гости, в издательство, на наши мероприятия. Ну, может, не окончательно перестанет, но постарается избегать. Эта трещина будет расширяться и углубляться, и мы оба будем страдать. Мы с ним — одно целое, нас разделять нельзя. Я этого не допущу. Все, решено, я сейчас найду Катерину и скажу, что нам надо серьезно поговорить.

— Что, прямо здесь? — скептически осведомилась Нана.

Мысль о серьезном разговоре в толпе подвыпивших развеселых сотрудников издательства показалась ей смехотворной. Все равно что надеть смокинг с панамкой и пляжными тапочками.

— Нет, конечно, не буду портить праздник. Договорюсь с ней о встрече. В общем, что-нибудь придумаю. Все, Нанусь, — он резким и одновременно легким движением поднялся с обитого кожей диванчика, — я пошел. Кто там с моими?

— Андрей. Я попросила его не отходить, пока я не вернусь.

— Умница! Еще раз спасибо тебе, что выручила. Пропал бы я без тебя, ей-богу. Но ты все-таки посматривай за мной, ладно? А то мало ли что, вдруг мне снова помощь потребуется.

— Ладно, — улыбнулась Нана и поспешила на своей боевой пост.

* * *

Марина Савицкая глаз не спускала с красивой девушки в облегающем блестящем платье, с которой Филановский начал было танцевать. От ее ревнивого взгляда не укрылось ничего, ни движение, которым девушка прижала грудь к его руке, ни то, как она прильнула к Саше.

Да, между ними все кончено, и Марина с этим не спорила. Любовный пыл иссяк, романтическая составляющая потухла, но Саша заявил, что они должны остаться друзьями и она всегда может рассчитывать на его помощь и поддержку, не посторонние, чай, люди. Саша предложил ей работу в своем издательстве и хорошую зарплату, и Марина с радостью согласилась. С радостью — потому что была беременна от Филановского. Срок совсем маленький, еще полно времени на то, чтобы принять решение: делать аборт или рожать. Родить хотелось, но было страшно, что в одиночку она ребенка не поднимет, а если Саша готов помогать — тогда совсем другое дело. А он ведь и в самом деле готов, иначе разве стал бы он брать Марину на работу? Хотел бы навсегда разделаться с ней, чтобы никогда больше не видеть, — так и поступил бы, а он сознательно идет на то, что будет видеть ее каждый день, сталкиваться в коридорах, а то и разговаривать наедине в своем кабинете по каким-нибудь служебным вопросам. Может быть, не все еще потеряно? Может быть, он чувствует, что наступившее охлаждение — явление временное, преходящее, а на самом деле связь между ними так глубока и прочна, что обязательно возродится, вот и не стал отпускать любовницу слишком далеко, приблизил к себе, привязал. Марина готова ждать, и отношения возобновить тоже готова, и не потому вовсе, что продолжает безумно любить Филановского, нет, но потому, что хочет иметь этого ребенка, но боится, что одна не справится. Конечно, мама с папой у нее есть, но это совсем не то же самое, что отец малыша, к тому же весьма состоятельный. Марина Савицкая была, в общем-то, женщиной без излишних иллюзий и о ценах в нынешнем мире осведомлена очень даже неплохо, то есть знала, что почем, в том числе и хорошие продукты, и качественная одежда, и профессиональное здравоохранение, и образование. Вырастить здорового полноценного ребеночка и дать ему нужные знания и профессию — дело ой какое недешевое, одной ей не потянуть, да и для психического формирования малышу необходимо иметь перед глазами образцы не только женского, но и мужского поведения, а значит, нужен отец, пусть и приходящий, но нужен. И время уже подошло, все-таки двадцать восемь ей, надо рожать, пока есть молодость, силы и здоровье, а то ведь неизвестно, как все сложится в дальнейшем. Но если Филановский не собирается помогать ей растить ребенка, то она сделает аборт. Вопрос в том, когда сказать Саше о своей беременности, сейчас или потом, когда примет решение рожать? Если он взял ее на работу, если хочет держать при себе, то это о многом говорит! Дорогого стоит.

И что эта девка к нему прилипла? Прямо не отдерешь! Может, это его новая пассия? Ну дает Филановский, не постеснялся пригласить ее на корпоративную вечеринку, хотя рядом жена стоит. А может, она тоже работает в издательстве? Нет, вряд ли, Марина здесь с самого начала, она видела, что девица явилась намного позже, после торжественной части, и явилась не одна, а в сопровождении Сашиного брата. Хотя кто знает, возможно, это для отвода глаз...

— Ну и как вам трудовой коллектив, в который вы собираетесь влиться?

К ней подошел приятного вида рыжеватый мужчина со стаканом в руке. Держался он вполне уверенно, но наметанным глазом Марина увидела, что выпил он изрядно.

— Пока не разобралась, — она мило улыбнулась. — Может, вы меня просветите? Расскажете, кто есть кто?

Она была не против пообщаться хоть с кемнибудь, ей было скучно, ведь Марина никого здесь не знала, и никто с ней не разговаривал.

— Тогда начнем с меня, — с готовностью согласился рыжеволосый. — Станислав Янкевич, руковожу отделом продаж. А вы, кажется, Марина?

— Да, — подтвердила она.

— И идете в отдел рекламы, — уточнил Янкевич.

— Совершенно верно.

— А образование у вас?.. — Он сделал выразительную паузу.

Она смешалась.

— Текстильный институт.

— И все? — он удивленно приподнял брови.

— Все.

— В рекламных службах когда-нибудь работали?

— Нет, не приходилось.

— Тогда вам прямая дорога в один из наших клубов, — он пьяно ухмыльнулся. — Вы там придетесь ко двору.

— Клубов? — недоуменно переспросила Марина. — Вы о чем?

— У нас, дорогая Мариночка, есть целый клуб сотрудников, которые ничего не умеют, но зарплату получают исправно. Нет, я ничего не хочу сказать, все они — прекрасные люди, личные друзья шефа или друзья и родственники его друзей и родственников. Делать они ничего не могут, толку от них никакого, но надо же как-то проводить рабочее время, вот они и собираются на чашечку кофе, которая превращается в огро-о-омный котел, в нем кофе много, и сплетен тоже достаточно, варево получается отменное, на целый день хватает. Я понятно излагаю?

Куда уж понятней. Ей стало неприятно и от-чего-то даже стыдно. Она не обольщалась на свой счет, и когда Саша сказал, что может взять ее на работу в отдел рекламы, напомнила ему о своем «непрофильном» образовании и отсутст-вии опыта, но Филановский ее уверил, что рек-ламному делу люди учатся не в институтах, а на собственном опыте. Она побаивалась, но он был убедителен и настойчив, и эта настойчи-вость заставила ее согласиться: раз он так хо-чет, чтобы она работала в издательстве, значит, не все кончено между ними и надежда еще ос-тается. А с работой она как-нибудь освоится, мозги-то есть.

— Вы сказали «клубов», — напомнила Мари-на, пытаясь увести разговор в менее неприят-ное русло. — Их несколько?

— О! — Янкевич назидательно поднял указа-тельный палец. — Вы зрите в корень. У нас есть еще один клуб, совсем маленький, всего три че-ловека.

— Самые избранные? — лукаво улыбнулась она. — Лучшие из лучших?

— Точно, — кивнул он. — Избранные самим шефом. Его бывшие любовницы, которых он с завидным постоянством устраивает к нам на работу, когда перестает их трахать.

Ей показалось, что дыхание остановилось, она не могла ни вдохнуть, ни выдохнуть. Вот, значит, как дело обстоит... Она-то, дура, думала, что Саша именно к ней так относится, не хочет терять, стремится удержать возле себя, а оказы-вается, он со всеми так поступает. И ни с кем потом отношений не возобновляет. Значит, нечего надеяться на то, что он станет хорошим отцом для их ребенка и будет помогать его растить. Денег, наверное, даст, но этим все и ограничится. Даже если денег будет много, они не заменят ни участия, ни присутствия, ни отцовской заботы, ни внимания, которые так необходимы детям. Неужели придется расстаться с мечтой о ребенке?

Нет, не может быть, чтобы все было так, как рассказывает этот полупьяный тип! Он много выпил и несет какую-то ахинею. Так не бывает.

— Вы потрясающе осведомлены, — Марине удалось взять себя в руки и продолжать говорить вполне ровно и даже весело, хотя появившуюся в душе горечь она явственно ощущала полынным привкусом на языке. — Может, покажете этих избранных? Интересно посмотреть.

— Да легко!

Он обернулся, разглядывая присутствующих, и указал на красивую стройную женщину лет тридцати пяти, весело хохочущую в обществе еще одной дамы и двух мужчин.

— Вот это наша Танечка, якобы корректор, последний член клуба. Хороша, правда?

— Да, — сдержанно кивнула Марина, — красавица. А еще кто?

— Давайте пройдемся, — предложил Янкевич, — отсюда плохо видно. Я вам всех покажу.

Они медленно прошлись по периметру одного зала, затем перешли в другой, постояли несколько минут в холле. Янкевич держал ее под руку и, склонившись к самому уху, вполголоса комментировал:

— Вот эта дама — мой заместитель, на ней держатся все продажи, она еще в советское время в «Академкниге» работала, знает все книготорговые организации и — главное — все слабые места их руководителей. Никто так не умеет договариваться с ними и продавать наши издания, как она. Вот эта очаровательная пышечка — Светочка, первый член клуба бывших любовниц, ее шеф два года назад самолично выдал замуж и был даже тамадой на свадьбе. Старуха в кресле — бабка шефа, известная в прошлом актриса...

Она покорно шла рядом, опираясь на его руку, и чувствовала, как постепенно немеют ноги. Такое странное ощущение... Пол казался где-то далеко-далеко, и каждый раз, делая шаг, Марина удивлялась, что подошвы туфель соприкасаются с чем-то твердым и она не падает, значит, она все-таки идет, двигается. Наверное, она слишком много выпила, прогуливаясь с новым знакомцем и судорожно хватая с подносов, разносимых официантами, бокалы и стаканы со всеми напитками подряд, не разбирая и тут же выпивая все залпом. Вкуса того, что она пьет, Марина тоже не ощущала, пила только для того, чтобы заставить уйти эту невыносимую, мучительную горечь. А горечь все не уходила, наоборот, становилась густой и вязкой, словно все внутренности пропитаны дегтем. Она самоуверенно полагала, что вполне справилась с завершением (как она верила — временным) романа с Филановским, и не подозревала, что ей будет так больно.

Она очень старалась быть такой, какой ее хотел видел Александр. Здравой, хладнокровной, слегка циничной и всегда веселой. Хотя на самом деле Марина Савицкая таковой и не была вовсе, но ведь она так любила Сашу! И готова была притворяться каждый день, каждую минуту, лишь бы нравиться ему, лишь бы не дать ему повод разочароваться и охладеть к ней. И в тот день, когда он мягко, но без колебаний завел разговор о том, что их сексуально-романтические отношения себя изжили и естественным образом переросли в дружбу и отныне и навсегда дружбой и останутся, она не разрыдалась, не начала кричать, умолять или возмущаться, она приняла его слова именно так, как он и ожидал: спокойно, рассудительно и вполне позитивно. Да, он, безусловно, прав, и теперь надо постараться сохранить все то хорошее, что между ними еще осталось. Она даже улыбалась и, как ни странно, вовремя находила правильные слова и интонации, хотя внутри у нее все заледенело. Ледяной ком мгновенно образовался где-то за грудиной, и от него по всему телу, до самых кончиков пальцев на ногах, медленной тягучей волной разлился мертвящий черный холод. Марине показалось в тот момент, что у нее ноги отнялись. И только спустя несколько дней, когда ей удалось взять себя в руки и осмыслить предложение Филановского поступить на работу к нему в издательство, холод постепенно начал таять: еще не все потеряно, еще можно все вернуть... Как жаль, что о своей беременности она узнала лишь спустя пару недель после того памятного разговора! Может быть, тогда ситуация сложилась бы иначе. А если сказать об этом Саше сейчас, он может воспринять такое сообщение как наивный шантаж и попытку вернуть любовника. Впрочем, подобного рода рассуждения годились еще полчаса назад, а теперь все не имеет значения, потому что из слов Янкевича недвусмысленно следовало, что ничего вернуть нельзя, и тот факт, что Марина Савицкая будет трудиться в одном здании с Александром Филановским, свидетельствует не о том, что директор издательства все еще питает к ней теплые чувства, а всего лишь о его стремлении по-дружески помочь женщине, которую отныне не собирается содержать. Занять ее работой, чтобы не сидела дома и не жевала обиду, и дать более или менее приличную зарплату, на которую вполне можно жить, если не роскошествовать излишне. Весьма по-джентльменски, но не более того...

— А вы сами-то из каких будете? — имитируя старинный стиль речи, поинтересовался Янкевич. — Из друзей родственников или из родственников друзей?

Она внезапно остановилась и выдернула руку, до того уютно лежавшую на сгибе его локтя.

— А я, — отчетливо и медленно выговорила она, — буду четвертым членом клуба бывших любовниц.

Янкевич протрезвел буквально на глазах, отпрянул от нее, лицо сделалось багровым.

— Простите, — пробормотал он. — Я идиот. Я бог знает что тут наболтал... Простите, Мариночка.

— Ничего, — усмехнулась она, — с каждым может случиться.

Эта натужная усмешка вытянула из Марины Савицкой последние силы. Она отвернулась, разрыдалась и ринулась прочь из зала. Гремела музыка, вихрем кружилось замешанное на винных парах веселье, и никто не обратил на нее ни малейшего внимания.

* * *

Станислав Янкевич растерянно смотрел вслед новой сотруднице, кляня себя самыми выразительными словами, ибо, будучи опытным редактором, обладал обширным словарным запасом. Его меньше всего беспокоило, что он подвел старого друга Филановского, но было страшно жалко эту симпатичную молодую женщину, для которой его неосторожные слова оказались таким ударом. Но он же не знал, что Марина — Сашина любовница! Ему никто не сказал, не предупредил. «А самому в голову не пришло? — буркнул внутренний голос. — Не подумал, что сначала надо о человеке что-нибудь узнать, а уж потом выбалтывать чужие секреты? Или подумал и сделал нарочно, чтобы Сашку подставить? Если уж не свести счеты по-крупному, то хотя бы мелко и гадко напакостить, да?» Мысль показалась Янкевичу неприятной, и он быстро нашел ответ: подумаешь, большой секрет, все равно она узнала бы обо всем, не сейчас — так через неделю, потому что «клуб бывших» никак не скрыть, о нем все издательство знает. Кто же мог предполагать, что она так расстроится? Обычно «бывшие» дамы Филановского подобной чувствительностью не отличались.

Надо срочно еще выпить. Янкевич двинулся в сторону идущего неподалеку официанта с подносом, уставленным полными бокалами с шампанским, и нос к носу столкнулся со Степой Горшковым из отдела кадров. Почему-то захотелось немедленно поделиться переживаниями, что Станислав и осуществил. Горшков был ему симпатичен и — это Янкевич знал точно — всегда мог найти нужные слова, чтобы успокоить собеседника и объяснить ему, что он не так уж и не прав и ничего страшного не произошло. Эдакий доморощенный психотерапевт издательского разлива.

— Ну что ж теперь поделать, — ответил ему Степан, — ты ведь действительно не знал. И потом, ты совершенно прав, Савицкая узнала бы обо всем дня через два-три, если не раньше. В любом случае лучше, что она услышала это от тебя и сейчас, чем ей сказали бы наши «клубные» дамы и при этом смотрели бы на нее и снисходительно улыбались, приглашая войти в их тесный кружок. Теперь у нее есть время морально подготовиться к первому рабочему дню и к встрече с ними, так что в критический момент Савицкая в грязь лицом не ударит. Нет, Слав, правда, не убивайся ты так, все к лучшему получилось.

— Но она так плакала, — неуверенно возразил Янкевич. — Ты представь только, Степа, кругом праздник, все веселятся, пьют, танцуют, а она забилась куда-то в уголок и рыдает. И все из-за меня, мудака. Как подумаю — тошно делается.

— Да не из-за тебя, а из-за шефа. Ты-то тут при чем? Ты, что ли, романы без конца крутишь, а потом девок своих в издательство пристраиваешь?

И почему Горшкову всегда удается быть таким убедительным? Янкевичу стало легче, но он все-таки пробормотал:

— Так ее жалко...

— Ну, раз жалко — давай пойдем найдем ее и поутешаем. Покормим, напоим, потанцуем с ней, караоке попоем, вон видишь — уже аппаратуру налаживают.

Пение под караоке было гвоздем программы на всех издательских вечеринках. Работали в «Новом знании» два человека, которые умели ловко сочинять смешные и злободневные тексты на мелодии популярных песен. Фишка, однако, состояла не в том, чтобы выйти и исполнить новое сочинение, а в том, что исполнять его должны были люди, к сочинению слов непричастные, то есть с текстом заранее не знакомые. Им просто вручалась бумажка со словами и говорилось, на мелодию какой известной песни их полагается положить. Человек выходил к микрофону и начинал петь «с листа»... Тексты были действительно потрясающе смешными, и неподготовленный исполнитель в какой-то момент начинал давиться от хохота и продолжать уже не мог. Сотрудник, назначенный быть рефери, отмечал в собственном экземпляре место, на котором исполнитель «сломался», и к микрофону вызывался следующий конкурсант. В трех попытках побеждал тот, кому удавалось пропеть больше текста, четвертым же номером выходили сами авторы слов и исполняли произведение уже целиком под истерический хохот присутствующих. Обычно таких песен к каждой вечеринке придумывалось три, а то и четыре, так что навеселиться сотрудники издательства успевали досыта. Конкурса «караоке» все ждали с нетерпением, и участвовать в нем готов был каждый, у кого имелась хоть капля музыкального слуха, а зачастую и те, у кого его не было совсем.

Предложение поискать обиженную и расстроенную Марину Станислав Янкевич воспринял с энтузиазмом, он все-таки чувствовал себя виноватым и хотел хоть как-нибудь исправить положение. Вместе с Горшковым они направились в сторону дамской комнаты, подождали, пока оттуда выйдет кто-нибудь из сотрудниц издательства, поинтересовались, нет ли там новенькой, получили отрицательный ответ и направились искать другой туалет, ибо понятно было, что в таком клубе их должно быть несколько. Кроме туалетных комнат они планировали обследовать и другие помещения, тихие и уединенные, где вполне можно было отсидеться, успокоиться и привести себя в порядок. Подходя к одному из таких маленьких уютных зальчиков, они услышали знакомые голоса. Вернее, голос был одним и тем же, и даже интонации одинаковые, но все равно понятно, что беседуют два человека. Братья Филановские.

Янкевич инстинктивно придержал Горшкова за руку. Степан усмехнулся и на цыпочках двинулся дальше. Он что, собирается подслушивать? Станислава в первый момент передернуло, но в следующую секунду им овладело какое-то мстительное, нездоровое любопытство, и он, стараясь не производить лишнего шума, последовал за Горшковым.

— Что-то я плохо понимаю, с какого бодуна тебя это интересует? Тебе не все равно?

Янкевич попытался сообразить, кто из братьев задал вопрос. Александр? Или Андрей? Наверное, близкие хорошо различают эти два голоса, но Станиславу они казались совершенно идентичными. Ладно, дальше разберемся, решил он.

— Не все равно. Ты мне ответь, ты собираешься на ней жениться? Или так просто, дурака валяешь?

Жениться? Но ведь Александр женат. Значит, такой вопрос мог быть адресован только Андрею. Ну вот, теперь проще следить за разговором.

— Я тебе отвечу, Саня, но только если ты объяснишь мне, какая тебе разница, женюсь я на Кате или нет.

— Это что, ты мне условия ставишь? — Послышался смешок. — Андрюха, ты зарываешься. Не забывай, кто из нас старше.

— Да подумаешь, на несколько минут всего, — в голосе Андрея легко можно было услышать добрую улыбку.

— Эти несколько минут, между прочим, в некоторых странах являются решающими в определении первородства и, соответственно, права наследования, так что даже среди близнецов есть старшие и младшие. Ты давай-ка не увиливай. Я тебе вопрос задал.

— Нет.

— Что — нет? Отвечать не будешь?

— Да я тебе ответил. Нет, я не собираюсь жениться на Катерине. Ты меня для чего сюда затащил? Чтобы об этом спросить?

— Не только. Я считаю, что тебе нужно с ней расстаться.

— Это еще почему? — удивленно спросил Андрей.

— Так будет лучше.

— Для кого?

— Для всех. В первую очередь — для тебя. И для меня тоже. И Катерине будет лучше, она сможет найти себе мужа, пока еще молоденькая, а не тратить время на тебя без всякой надежды на семейный статус. Ну что ты девке голову морочишь? Ей замуж надо выходить, жизнь свою устраивать.

— Интересно ты рассуждаешь... Я даже готов согласиться с тобой. А может, мне самому на ней жениться, а?

— Она тебе не пара. Брось ее, Андрюха, вот тебе мой совет. И ее не мучай, и сам на нее время не трать. Она тебе совершенно не подходит, — решительно произнес Александр. — Тебе нужна совсем другая женщина.

— И ты, конечно же, знаешь, какая именно, — усмехнулся младший брат. — Санек, ты так усиленно агитируешь меня бросить Катю, что у меня зародилась некая мысль: уж не собираешься ли ты ее подобрать? Ну чего ты крутишь? Она тебе нравится? Ты нравишься ей? У вас что-то складывается? Так ты скажи прямо, не крути. Я спокойно отпущу ее и буду радоваться за вас обоих. К чему этот цирк-то разводить?

Горшков при этих словах повернулся к Станиславу и скорчил выразительную мину: дескать, вот что значит истинно братская любовь, даже бабу свою отдать не жалко, лишь бы братишке было хорошо.

— Это не цирк, — с металлом в голосе ответил Александр. — Я хочу, чтобы вы расстались. Ты должен ее бросить. Я не хочу, чтобы она продолжала с тобой жить. Она не должна больше появляться ни на Тверской, ни в издательстве. Она вообще не должна иметь отношения к нашей семье.

— Да что случилось, Саня? Она чем-то тебя обидела? Может, Любу, Тамару? Что-то не так сделала, не так сказала? Ты можешь объяснить по-человечески?

— По-человечески — не могу. Могу только так, как считаю нужным. Катерина являет собой прямую угрозу отношениям внутри нашей семьи. Она недостойна тебя, глупа и корыстна, и тебе лучше от нее избавиться. Иначе мы с тобой поссоримся.

— Так, — вздохнул Андрей. — Кое-что начинает проясняться. То-то она так не хотела ехать сюда, уже со вчерашнего вечера начала говорить, что у нее нет настроения и лучше бы ей побыть дома. Между вами кошка какая-то пробежала, причем как раз вчера, когда она была в издательстве, с цветочками вашими возилась. И что у вас произошло? Из-за чего вы поцапались?

Возникла пауза, во время которой Горшков снова повернулся к Янкевичу и выразительно приподнял одну бровь, будто говорил: вот сейчас начнется самое интересное. Станислава стала одолевать неловкость, ну что за идиотизм — стоять и подслушивать разговор шефа с братом, очень личный разговор, не имеющий отношения к служебным делам. Он легко мог бы представить себе ситуацию, когда такого рода подслушивание не вызвало бы у него отторжения, например, если в издательстве планируется реорганизация, но никто ничего конкретного о планах руководства не знает, и все нервничают: кого сократят, кого оставят, каким службам будут увеличивать штаты и зарплату, кому какие функции передадут и все в таком духе. Тогда — да, тогда возможность получить хоть какую-то информацию, пусть и таким сомнительным способом, может побудить человека поступиться некоторыми принципами. Но сейчас, когда братья выясняют сугубо интимные вещи? Нет, нехорошо как-то получается. Янкевич понимал, что нужно развернуться и уйти. Если Степану интересно — пусть остается и слушает дальше, а он, Станислав, должен уйти отсюда, если хочет сохранить остатки уважения к самому себе. И в то же время понимал, что уйти не может. Не хочет. Он хочет остаться и еще послушать, как Александр Филановский навязывает собственную волю родному брату. Половина женщин в издательстве ходит в одежде, навязанной вкусом директора, даже если она им не нравится или совершенно не идет. Сам Янкевич живет в квартире, отремонтированной и оформленной в соответствии со вкусом шефа, и они с женой постоянно раздражаются, потому что жить в этой обстановке невозможно. А вот Филановскому понравилось, он специально приезжал посмотреть, как «его» дизайнеру удалось обновить их квартиру, и Станислав с женой Светланой мило улыбались, благодарили и наперебой говорили о том, как в их жилище теперь стало замечательно. Он ненавидел свою работу, но боялся потерять материальные блага, этой работой предоставляемые. Он ненавидел Александра за то, что по его милости оказался в подобном положении. Он ненавидел его брата Андрея, потому что Андрей знал, как надо поступить, и говорил об этом со страниц своей книги. И еще Станислав Янкевич ненавидел сам себя за собственную слабость, за то, что не находил в себе душевных сил делать, думать и чувствовать так, как советует Андрей.

Ему было болезненно интересно, как же поведет себя Андрей, который «знает, как надо относиться к ситуации», когда на него начнет давить Александр, который «знает, как должно быть».

— Саня, поскольку ты молчишь, то позволь, я выскажу предположение. Тебе нравится Катерина, и вчера ты попробовал поприставать к ней, воспользовавшись тем, что меня нет рядом. Ну, признайся, было? Молчишь? Ты начал делать ей авансы, а она тебя отшила, вот ты и разозлился. Так дело было или нет?

В голосе Андрея не слышно было ни злости, ни ехидства. Неужели ему действительно все равно? Ну, если и не все равно, то в любом случае он готов радоваться за людей, обретших друг друга и свое личное счастье, даже если за это обретение Андрею придется расплатиться утратой и обидой. Неужели то, что он написал в своей книге, — не пустые слова, а именно те правила, в соответствии с которыми он строит собственную жизнь? До настоящего момента Янкевич был почти уверен, что автор книги «Забытые истины» изрядно лицемерит, а теперь что-то засомневался.

— Это тебе Катя так сказала? — А вот Александр свою злость и не пытается скрыть.

— Ну, впрямую не сказала, но дала понять, что было именно так. Она тебе нравится, и поэтому ты хочешь, чтобы я с ней расстался? Слушай, это просто супер! За всю жизнь ни разу не было, чтобы нам с тобой понравилась одна и та же женщина. У нас же с тобой совершенно разные запросы. И как это Катюхе удалось тебя зацепить? Она вообще не в твоем вкусе.

— Да прекрати ты! — взорвался Александр. — О чем ты говоришь? У меня и в мыслях не было к ней приставать, она мне сто лет не нужна! Повторяю тебе, если ты не понял: она глупая и корыстолюбивая девица, и ей не место рядом с тобой, со мной и вообще со всей нашей семьей. Забудь о ней раз и навсегда. Чтоб я больше ее не видел!

— Ладно, Саня, — послышался шорох, похоже, Андрей встал и сделал шаг в сторону приоткрытой двери, за которой стояли, замерев, Янкевич и Степан. Янкевич скорее почувствовал, нежели увидел, как напрягся Горшков, готовый в любую секунду либо быстро уйти, либо сделать вид, что оказался здесь случайно и буквально только что, полсекунды назад. — Ты всегда знаешь, что и как должно быть, кому и как жить и что делать. Я не считаю, что это правильно, но ты такой, какой есть, и другим не будешь. Я тебя люблю, каким бы ты ни был, ты мой брат, но жить я собираюсь все-таки собственным умом, а не твоим. Если Катюха захочет уйти от меня — ради бога, но бросать ее я пока не собираюсь.

— Ты совершаешь ошибку.

— Это неизвестно. Время покажет.

— Это известно. И я не допущу, чтобы ты эту ошибку совершил.

— Ты не допустишь? Слушай, Санек, неужели тебе не надоело подминать под себя всех окружающих? Ты не устал от собственного диктаторства?

Голос приблизился, и Янкевич понял, что Андрей собрался уходить и вот-вот распахнет дверь. Надо срочно исчезать отсюда. Он поймал взгляд Горшкова, тот слегка кивнул, и они, ступая на цыпочках, двинулись к противоположной двери, ведущей в просторный холл. Только в этот момент Янкевич вдруг с удивлением подумал, что их никто почему-то не застукал за столь неблаговидным занятием. Почему в зал, где они стояли, за столько времени не зашел ни один человек? Удивительно! В клубе полно народу, для вечеринки издательство арендовало три зала, остальные помещения заполнены обычными гостями, их голоса доносятся из примыкающего к помещению холла, а сюда никто так и не заглянул.

— Ладно, Андрюха, ты меня достал. Не понимаешь по-хорошему — придется тебе объяснить...

Это было последнее, что услышал Янкевич. Они тихонько вышли в холл, притворили за собой дверь, и Станислав тут же получил ответ на свой вопрос: на двери сияла табличка из желтого металла с надписью «Private». Приватная зона. Место, куда обычные гости заглядывать не должны. Но Александр Филановский — не обычный гость, а личный и давний знакомый хозяина клуба, посему на него никакие запреты не распространяются, и он может находиться, где захочет. Надо же, и как они не заметили эту табличку, когда входили?

— Как ты думаешь, что шеф собрался объяснить? — задумчиво спросил Горшков.

Станислав пожал плечами:

— Не знаю. Да какая разница?

— Разница? — Степан посмотрел на него как-то странно, и Янкевичу стало не по себе. — Разница есть. И очень большая.

— Да брось ты. Пойдем все-таки девушку поищем, а то мы о ней совсем забыли. И конкурс мы, наверное, уже пропустили. Жалко, я послушать хотел.

— Ничего, — усмехнулся Горшков, — не волнуйся, конкурс без шефа не начнут. Все-таки мне страшно интересно, что же такое он брату собрался сказать. Что-то такое между ним и Катериной произошло, это точно. Ты, случайно, не знаешь? Ты ж его друг все-таки.

— Нет, — отрицательно покачал головой Станислав, — я не в курсе.

Он еще хотел добавить, что никакой он Филановскому на самом деле не друг, но передумал.

Еще минут десять они бродили по всем трем этажам клуба, пока не нашли наконец Марину Савицкую, и все эти десять минут Станислава Янкевича не покидало неудобное, назойливо мешающее, как попавший в ботинок мелкий камушек, ощущение напряжения. То ли это напряжение исходило от Степы Горшкова, то ли угнездилось и беспокойно ворочалось в нем самом, Янкевич в тот момент разобраться не сумел.

* * *

Уже два часа ночи, но спать совсем не хочется, возбуждение не отпускает. Вечеринка давно закончилась, Нана проследила, чтобы всех, чье состояние вызывало у нее хотя бы малейшее беспокойство, посадили в машины и увезли по домам, потом вместе с Антоном дважды обошла все помещения клуба, выискивая, не завалялся ли в каком-нибудь тихом уголке кто-нибудь особо сильно напившийся из числа работающих в издательстве, мало ли, они, конечно, следили, но все могло случиться. И только после этого они с Тодоровым облегченно вздохнули и уехали. Антон деликатно спросил, может ли он подняться в квартиру вместе с Наной, и Нана мысленно поблагодарила его за тактичность, хотя с момента отъезда Никиты на сборы Тодоров и без того каждую ночь оставался у нее.

Еще поднимаясь в лифте, она была твердо уверена, что стоит ей переступить порог квартиры и переодеться, как она тут же свалится без сил и через три минуты будет спать как убитая, однако прошло уже добрых полчаса, Нана и переодеться успела, и душ принять, и даже чай зачем-то приготовила, а сна — ни в одном глазу. В голове беспрестанно крутились отдельные эпизоды минувшего вечера, и она критически осмысливала возникающие в памяти картины: все ли в порядке? не просмотрела ли чего, не упустила ли? Вспомнилось внезапно, как Тодоров подошел к Любови Григорьевне, как стояли они у двери и о чем-то разговаривали, и лицо у Филановской было не очень-то довольным. Наверное, это связано с тем поручением, которое она передала через Нану.

— Тоша, а что с нашей тетушкой? — спросила она. — Ты выполнил ее задание?

Тодоров посмотрел на нее внимательно и немного печально.

— Хорошо, что ты спросила, — медленно произнес он. — Я сам хотел поговорить с тобой об этом. Или, может, завтра? Ты, наверное, устала, а разговор может получиться длинным.

— Нет, давай сейчас, — Нана сразу встревожилась. — Там что, проблемы какие-то? У тебя не получается?

— Не получается, — кивнул Антон.

— Не можешь найти этого типа? Он кто? Он действительно отец Саши и Андрея? Или тетушка меня обманула? — Она сыпала вопросами, не дожидаясь ответа. Так бывало всегда, когда Нана волновалась, и эта же манера теперь проявляется у ее сына. Зря она в таких случаях делает Никите замечания, куда ж девать наследственность-то, ее в форточку не выкинешь.

— Тебя она не обманула. — Нана тут же мысленно отметила особенное построение фразы: первым Антон поставил слово «тебя» и сделал на нем акцент. Значит, Любовь Григорьевна Нану Ким не обманула, но обманула кого-то другого. Кого же?

— А тебя?

— Меня — пытается. Видишь ли, нашей тетушке кто-то пишет письма с невнятными угрозами, и она уверена была, что это делает отец ее племянников.

— Да ты что? — Глаза у Наны широко раскрылись и в течение тех полутора десятков минут, пока Антон излагал ей эпопею своих контактов с Любовью Григорьевной, оставались такими круглыми, что трудно было даже заподозрить в ней корейскую кровь.

— Понимаешь, — закончил Тодоров, — отец нашего шефа и его брата, к судьбе которого приложила руку Тамара Леонидовна: она имела контакты с сотрудником КГБ — я проверил это по своим каналам, — и этого человека сажали не без ее участия, — он давно умер, а его законный сын этих писем не писал, но тетушка ни в какую не хочет в это поверить. Ей во что бы то ни стало нужно, чтобы автором писем оказался единокровный брат ее племянников. И я чувствую, что где-то она врет. Или врет, или недоговаривает. И не могу понять почему. Ведь ей же хочется, чтобы я нашел того, кто шлет ей письма, и решил как-то вопрос, ей действительно этого хочется, и в то же время она не дает мне возможности выполнить свое же собственное поручение. Тут есть что-то такое, чего я никак не могу уловить.

— Ничего себе, — она раскачивалась, сидя на диване и держа в руке пустую чашку, чай из которой уже давно выпила, — вот это история! Значит, Саша и Андрюша не знают о том, что с их отцом сотворила их же бабуля! Могу себе представить, что будет, если они узнают... Кошмар!

— Нана, — Тодоров ласково взял ее за руку, словно пытаясь остановить поток эмоций, — можно задать тебе один вопрос?

— Конечно.

— Прошло две недели, даже чуть больше, с тех пор, как ты передала мне конверт от Любови Григорьевны. Я работал, выполнял ее поручение, но ты за это время ни разу не спросила меня, как дела, что за поручение, как я его выполняю. Почему? Тебе не интересно? Или ты получаешь информацию из другого источника?

Она почувствовала, как запылали щеки. Он прав.

— Честно скажу, я периодически напрочь забывала об этом, — призналась она. — Когда тетушка явилась ко мне с конвертом, я уже была с температурой и жуткой головной болью, да ты помнишь, наверное, ты же сам меня в тот день домой отвозил.

— Помню, — кивнул он.

— Ну и стерлось как-то из памяти, а если всплывало, то редко-редко. Ты обиделся?

— Не в этом дело. Ты говоришь — всплывало в памяти редко-редко. Значит, все-таки всплывало. Почему же ты не спросила ни разу? Ведь мы с тобой в последние дни много бываем вместе, каждый вечер, каждое утро. Почему, Нана? Ты знаешь что-то такое, что мне неизвестно?

— Да нет же, — она обняла Тодорова и прижалась щекой к его шее, — я стеснялась.

— Ты — что? — переспросил он изумленно. — Стеснялась?

— Ну да. Не хотела, чтобы это выглядело так, будто я тебя контролирую, не доверяю твоему профессионализму. Я дала тебе задание и могу быть спокойна, оно будет выполнено в те сроки, в какие это возможно, и, когда все будет сделано, ты придешь и сам доложишь, а если я начну тебя дергать каждый день, ты можешь подумать, что я стою у тебя над душой, как у нерадивого работника.

Она говорила совершенно искренне. В романе с подчиненным огромное количество минусов, и один из них состоит в том, что лишний раз ни о чем не спросишь, чтобы не обидеть человека. Почему-то Нане это виделось именно в таком свете: любого подчиненного можно и нужно контролировать, а своего любовника — нельзя. Неловко как-то.

Она преодолела смущение и бросилась в атаку:

— Но ведь и ты за эти две недели ни разу сам не заговорил об этом деле. И я тоже могу спросить: почему?

— Можешь, — согласился он. — И я тебе отвечу. Но сначала еще один вопрос: ты не открывала конверт, который передала Любовь Григорьевна?

— Нет. Мне не до того было. Он был, кажется, заклеен, впрочем, я смутно помню, совсем была плохая. А что? Надо было открыть?

— Не знаю, — он пожал плечами. — Может быть. Нана, ты помнишь, как принимала меня на работу?

— Господи, — она в изумлении отстранилась от Антона и поставила наконец пустую чашку на стол, — а это-то здесь каким боком?

— И все-таки, — настойчиво проговорил он, — помнишь или нет?

— Конечно, помню.

— И ты помнишь, что я тебя предупредил: я

менял имя и фамилию. Показывал тебе все документы, справки. Помнишь?

Она поняла, что для Антона очень важно, чтобы она помнила. Он хотел быть важной частью ее жизни, а не просто товарищем, с которым и ночь провести приятно. Нана постаралась мобилизоваться и быстро восстановить в памяти детали, которые давно выбросила из головы.

— Ну конечно. По рождению ты был Юрцевичем Владимиром Сергеевичем. Я пока еще в своем уме. Твой отец был дважды судимым диссидентом, и после его смерти стали периодически появляться какие-то сомнительные личности, которые рассказывали тебе, что сидели вместе с твоим отцом, и просили материально вспомоществовать. Тебе это надоело, и ты сменил имя, чтобы они не могли тебя найти. Ты проверяешь, насколько хорошо я помню все, что касается тебя? — спросила Нана сердито. — Я не задала тебе ни одного вопроса в связи с тетушкиным заданием, и теперь ты решил, что это проявление равнодушия с моей стороны?

Она слышала себя словно со стороны и безмолвно удивлялась. Ни разу за все время знакомства с Антоном она не вспомнила и не произнесла даже мысленно его настоящую фамилию, словно и не знала ее никогда, и теперь, отвечая на его вопрос, поразилась, до чего легко вспомнилась не только фамилия, но и имя, и обстоятельства, заставившие Антона их изменить. Она вспомнила даже, как выглядели те документы, которые он ей тогда показывал. Оказывается, ее память сохранила так много мелочей, касающихся Тодорова! Неужели она сама себя обманывает, и Антон на самом деле значит для нее гораздо больше, чем она привыкла полагать?

Нана так увлеклась своим неожиданным открытием, что не сразу уловила скрытый смысл слов, которые сама же только что произнесла. Дважды судимый диссидент, имевший сына и умерший несколько лет назад... И почему Антон спросил, заглядывала ли она в конверт? Неужели?..

— Тоша, — тихо и осторожно сказала она, — человек, которого разыскивала Любовь Григорьевна, — твой отец?

— Да, — просто ответил он. — Видишь, как совпало... Папа давно умер, еще в двухтысячном году, так что никаких писем он ей писать не мог. И про себя я знаю, что не посылал ей писем. Значит, их пишет кто-то третий. Но почему-то Любови Григорьевне эта мысль не по душе, она изо всех сил пытается убедить меня в том, что их присылает сын Юрцевича, то есть я. Нана, я не понимаю, как мне вести себя с ней, я совсем запутался. Я не могу сказать ей правду, наврал насчет сына Юрцевича... Черт знает что!

Он встал, прошелся взад-вперед по комнате, сжимая ладонями виски.

— Но кто-то же пишет ей эти странные письма! И я уверен, что Любовь Григорьевна догадывается, а возможно, и прекрасно знает, кто это делает, но почему-то пытается сделать вид, что уверена в причастности младшего Юрцевича, то есть меня. Я ничего не понимаю. Помоги мне, Нана, я один не справляюсь.

— Да чем же я могу помочь, Тоша? Ты — в прошлом сыщик, опер, тебя этому учили, у тебя есть опыт, навыки, специальные знания, источники информации, знакомства, связи, а я-то вообще только в организации безопасности что-то понимаю, да и то немного. Когда меня Саша пригласил на работу в издательство, я была инструктором по физподготовке в частной охранной фирме, это единственное, в чем я более или менее разбираюсь, а до всего остального уже доходила опытным путем. Высшее образование я получала в институте физкультуры, а не в школе милиции, как ты. Какую помощь я могу тебе оказать? Поговорить с тетушкой?

— Расскажи мне о Филановских. Все, что знаешь. Может быть, мне удастся уловить то, о чем так не хочет рассказывать Любовь Григорьевна.

— Тоша, да я почти ничего не знаю, — растерялась она. — Тетушка со мной разговаривает только о природе и погоде, как и со всеми в издательстве.

— Тогда расскажи о братьях, ты же их знаешь с детства. Характеры, привычки, случаи какие-нибудь... ну, я не знаю... Нана, ты пойми, я как в капкане, и мне надо из него выбираться. Тут любые средства хороши, надо все пробовать, авось какое-нибудь да поможет. Если мы с тобой не выясним, кто пишет письма, мы не сможем этого человека обезвредить, а если с Любовью Григорьевной случится неприятность, то крайними окажемся именно мы с тобой. Филановский нам не простит.

Это верно, подумала Нана, Саша за свою се-

мью глотку любому перегрызет, и если, не дай
бог, что-то случится, а он потом узнает, что тетка обращалась к Нане Ким за помощью, а Нана
не смогла или не захотела ничего сделать... Н-да,
перспектива малоприятная.

— Характеры, — задумчиво повторила она
вслух. — Ну что ж, характеры. Знаешь, мне кажется, что все человечество делится на охотников, земледельцев и пилигримов. Пилигримов
совсем мало, охотников и земледельцев много
и примерно поровну. Охотники гоняются за
дичью, выслеживают, убивают, съедают и тут же
забывают о ней и выходят на новую охоту. Зем-
ледельцы осваивают территорию, вспахивают,
окультуривают, взращивают урожай, потом осваивают соседнюю территорию, но предыду-
щую не забрасывают и не забывают, а продол-
жают о ней заботиться. Они накапливают свои
земли, приращивают их. А пилигримы видят
только внутреннюю цель, и эта цель — даже не
знание чего-то, а понимание. Понимание сути
процессов, взаимосвязи вещей и событий. Они
ни за чем не охотятся и никакой собственностью не обрастают, они свободны в своих пере-
движениях и идут только туда, где могут найти
еще один ключик к пониманию. Вот спортсмены, например, типичные охотники: завоевал
медаль, поставил рекорд — и тут же двинулся
вперед, к еще одной медали, еще одному рекор-
ду, достигнутая цель уже не интересна и не важна, интересна и важна цель, пока не достигнутая. Даже среди людей бизнеса часто встречаются охотники. Такие люди пробуют себя в

каком-нибудь деле, им интересно, получится у них или нет, начинают заниматься, доводят дело до ума — и все, теряют к нему интерес, продают его и занимаются чем-то совершенно другим. Сашка Филановский — земледелец, только империю свою он строит не в бизнесе, а путем обрастания людьми, которые на него молиться готовы. Даже бывших любовниц от себя далеко не отпускает. А Андрюша — самый настоящий пилигрим. Знаешь, сколько раз Саша предлагал купить ему квартиру побольше, машину получше? Андрей ни в какую не соглашается. Ему ничего не нужно, кроме того, что у него есть. Он ведет свои семинары, пишет лекции, придумывает что-то, копается в собственных и чужих мыслях, создает собственную философию...

Она рассказывала, смотрела на Антона, который сидел рядом и внимательно слушал, и никак не могла отделаться от ощущения иррациональности происходящего. Антон — брат Саши и Андрея. Антон — человек, которого Тамара Леонидовна Филановская фактически лишила не только отца, но и матери, и нормального детства. И никто, кроме самого Антона, а теперь и ее, Наны, об этом не знает. Что чувствовал Антон, работая на Сашу Филановского? О чем думал? О чем переживал? Каково ему было видеть семью Филановских в полном сборе, в любви и согласии, и знать, что сам он был всего этого лишен не без помощи Тамары? Знал ли он с самого первого дня пребывания в издательстве «Новое знание», на кого работает, или догадался намного позже? Каким образом догадался? Почему ничего не сказал Нане? А если знал заранее, то почему устроился на эту работу? Был какой-то особый интерес или простое совпадение? Вот о чем им бы надо сейчас разговаривать, а не о каких-то там охотниках, земледельцах и пилигримах. Но дело есть дело. Антон задал свои вопросы, и сейчас ей нужно постараться ответить на них максимально подробно и четко. Сейчас она — не уставшая женщина, закутавшаяся в теплый уютный халатик и полулежащая на диванчике, прислонив голову к мягкой подушке, а начальник службы безопасности, подчиненный которой оказался в сложном положении. Она — сильный руководитель, а не слабая любовница, и долой эмоции, как во время выступления на соревнованиях. В то же время ее не оставляло ощущение истекающего времени: еще чуть-чуть — и она так и останется для Антона начальницей, останется навсегда, и уже никогда не вернуть ту дружбу, доверие и теплоту, которые она так ценила в их отношениях. Нельзя в такой острый, непростой для него момент не спросить о том, о чем спросить хочется, не задать те вопросы, которых он ждет, потому что это, по большому счету, куда важнее, чем спокойствие и благополучие Любови Филановской, не к ночи будь она помянута. Нельзя цепляться за профессиональный статус, когда Антону — Нана была в этом уверена — нужно человеческое сочувствие и интерес к его собственным переживаниям. Да и ей самой эти его переживания намного важнее и интереснее братьев Филановских.

Антон внимательно слушает, не сводя с нее глаз, и вроде бы все в порядке: все идет так, как надо, но внутренний таймер отсчитывает сотые доли секунд, и неумолимо приближается та точка, миновав которую уже невозможно будет ничего исправить. Как на льду, во время подхода к прыжку: наступает момент, когда нужно прыгать, иначе не прыгнешь вообще, и в лучшем случае получится никому не нужная «бабочка», а в худшем — не получится ничего.

Но вот странное дело: чем дольше Нана рассказывала, тем отчетливее становилось ощущение спадающей пелены, словно с каждым произнесенным словом срывался очередной кусочек прозрачной кисеи, занавешивающей сцену, на которой стоят двое мужчин: Александр Филановский и Антон Тодоров, он же Владимир Юрцевич. Картинка постепенно становится ярче, объемнее, прорисовываются неожиданные детали, и внезапно Нану охватила невыносимая, острая тоска. Боже мой, дура, какая же она дура!

Она остановилась на полуслове, не закончив фразу, приподнялась и взяла Антона за руку.

— Это все ерунда, не имеет никакого значения. Об этом можно поговорить потом. Сейчас важно совсем другое. Тоша, как же ты все это пережил? Тебе было очень трудно? Или ты ничего не знал?

По тому, как изменилось его лицо, как дрогнули губы в благодарной улыбке, Нана с облегчением поняла: она успела. Она вовремя поймала момент, не упустила его, и прыжок получился.

Дальнее Подмосковье, 1982—2000 гг.

Он подходил к дому и чувствовал, что волнуется, как мальчишка перед экзаменом. Ему уже двадцать лет, армию отслужил, а способность надеяться на чудо так и не утратил, хотя никаких особых оснований для такой надежды у него не было. Все два года срочной службы он регулярно писал письма отцу и даже иногда получал ответы, но ничего нового в тех скупых строчках не прочел. Отцовские письма были короткими и формальными, и не было в них той теплоты, которой так не хватало Володе Юрцевичу.

О своем возвращении он, конечно же, предупредил отца, и написал ему заранее, и потом еще телеграмму дал с указанием точной даты прибытия домой, и, свернув на знакомую улицу, изо всех сил напряг зрение: вот сейчас он увидит отца, стоящего на крыльце или даже возле калитки и высматривающего Володю. Они не виделись целый год, с тех самых пор, как Володя приезжал в отпуск, и за этот год отец, наверное, соскучился и понял, как много значит для него сын — единственный родной человек на этом свете. Они побегут друг другу навстречу, обнимутся, и начнется у них жизнь совсем другая, такая, о которой Володя мечтал еще пацаном, еще тогда, когда жил в интернате и ждал отца из тюрьмы.

Но, как ни всматривался, ничего он не увидел. Никто не стоял возле калитки, и крыльцо дома было пустым. Наверное, отец на работе, хотя дело к вечеру, должен был бы уже вернуться... Ступив на участок, Володя осмотрелся: ничего отец не сделал, кусты стоят неухоженные, необрезанные, единственная яблоня поедена жучком, кругом сорняки. В прошлом году, во время отпуска, Володя поправил дверь и починил крыльцо, а покрасить не успел, так за год у отца и до этого руки не дошли. Ничего ему не нужно, ничего не интересно, кроме одного. Ходит на работу, пьет и пишет свои бесконечные письма на тот свет.

Дверь оказалась незапертой, значит, отец все-таки дома.

— Пап! — громко крикнул Володя, снимая в сенях сапоги. — Я приехал! Ты дома?

Тишина. Впрочем, нет, какие-то звуки он уловил, и сразу стало тошно. Отец спал и во сне храпел. Пьяный. Даже в такой день не мог не выпить. А скорее всего, и вовсе позабыл о том, что сын из армии возвращается.

Он прошел в дом босиком, окинул взглядом комнату: отец спит на диване, накрывшись стареньким, протертым чуть ли не до дыр одеяльцем, на столе початая бутылка водки, эмалированная кружка, открытая тетрадь в клеточку и шариковая ручка. Володя заглянул в тетрадь.

«Наденька, любимая моя! Не разговаривал с тобой два дня и уже соскучился...»

Ничего не изменилось. Отец по-прежнему думает только о ней, о той женщине, которую так сильно любил и которая родила ему сыновей. Думает о ней, пишет ей письма. Все эти годы пишет. Их в подполе уже тонна, тетрадок этих с письмами в никуда.

Володя закрыл тетрадь, убрал бутылку, сполоснул и поставил на место кружку, разделся до пояса, умылся с дороги, вскипятил чайник, налил себе чаю, отрезал кусок черного хлеба, тоненько намазал горчицей и слегка присыпал солью и, держа в одной руке чашку, в другой — хлеб, вышел на крыльцо и присел на ступеньку. Как он мечтал все последние месяцы об этой секунде! Вернуться наконец домой и посидеть на крылечке, наслаждаясь тем, что нет больше казармы, приказов и нарядов, и нет режима, и не нужно никуда спешить, и ничего не надо делать, а можно просто сидеть, пить сладкий чай с любимым еще со времен интерната лакомством — черным хлебом с горчицей и солью, дышать теплым после жаркого июньского дня вечерним воздухом, прислонившись голой спиной к балясинам и ощущая кожей ласку нагретого солнцем дерева, и знать, что ночью он будет спать в своей кровати, один в комнате, и проспит столько, сколько захочет, и не будет утром надсадного, с ехидным злорадством, крика: «Рота, подъем!» Уже потом, на следующий день, все станет привычным, словно и не было двух армейских лет, и радость не будет такой острой, как именно в этот первый вечер, и ему хотелось насладиться им полностью, не упустить ни одной секунды, ни одной мелочи, ни одного ощущения. Он так давно готовился мысленно к этому вечеру!

И почти ничего не чувствовал, кроме горечи и разочарования. Он проиграл. Он боролся столько лет — и все напрасно. У него ничего не получилось. И самым счастливым днем его жизни по-прежнему остался тот день, когда отец вернулся из тюрьмы и пришел за ним в интернат. Ровно семь лет назад...

* * *

Ребята в интернате были разные: и те, кто своих родителей никогда не знал, и те, кто их знал и помнил, были и те немногие, в их числе и Володя Юрцевич, кто ждал, когда их заберут. Отца Володи родительских прав не лишали — не за что, вопрос был только в том, когда его освободят. Ну, и еще в том, захочет ли он взять сына, появится ли в интернате или оставит мальчика на попечении государства, сделает вид, что никакого сына у него отродясь не бывало, и станет жить своей жизнью, свободной и бессемейной.

Директор интерната несколько раз писала начальнику колонии, где отбывал наказание Сергей Дмитриевич Юрцевич, спрашивала о сроках освобождения и просила узнать у осужденного, какие у него планы в отношении сына, собирается ли он его забирать или будет писать отказ от ребенка, и, таким образом, Володю можно будет предлагать к усыновлению. Если забирать не будет, то пусть напишет отказ уже сейчас, потому что Володенька — мальчик умный, способный, с хорошим характером и очень симпатичный, и когда приходят будущие усыновители выбирать ребенка, то всегда обращают на него внимание, так что пока еще есть возможность устроить судьбу Володи наилучшим образом. Начальник ИТК всегда отвечал на ее письма и сообщал, что осужденный Юрцевич С.Д. будет освобожден, скорее всего, по окончании срока наказания, ибо ни поведением своим, ни отношением к труду не демонстрирует исправления и перевоспитания и, таким образом, ни условно-досрочному, ни условному освобождению не подлежит. Отказываться от ребенка Юрцевич С.Д. не намерен.

Однако что-то все-таки произошло, то ли амнистию объявили по случаю 65-й годовщины Великого Октября, то ли осужденный Юрцевич С.Д. изменил-таки свое отношение к труду и правилам внутреннего распорядка, то ли адвокат сумел выхлопотать пересмотр дела и снижение срока наказания, то ли прошение о помиловании сыграло свою роль, но из восьми назначенных приговором лет он отсидел семь и был освобожден.

Из тринадцати прожитых на свете лет только три года Володя прожил рядом с отцом. Когда мальчик родился, Юрцевич уже был арестован, когда вернулся, сыну исполнилось три, а когда его посадили во второй раз, Володе было шесть. Вот и считайте.

Год, прошедший после того, как отца снова посадили, Володя помнил смутно. В памяти осталось, что мама все время плакала, иногда целыми днями не разговаривала с ним, молчала и лежала, отвернувшись к стене, пила какие-то таблетки, после которых или становилась радостно-возбужденной, шумной и энергичной, или впадала в транс и сидела неподвижно, мерно покачиваясь на стуле. Однажды она взяла Володю и поехала вместе с ним на улицу Горького, там они зашли во двор какого-то дома и долго сидели, пока мимо не прошла женщина с двумя мальчиками. Мама о чем-то говорила с ней, сначала негромко, и Володе не было слышно, а потом закричала: «Господи, да чем же она его так приворожила?! Она же ему всю жизнь сломала, и мне тоже! И вы... Это все из-за нее и из-за вас, я знаю! Что же вы со своей мамашей нас никак в покое-то не оставите?!» Женщина ответила что-то резкое, повернулась, схватила мальчиков за руки и ушла, а мама долго еще сидела на скамейке и плакала, судорожно прижимая к себе сына.

Потом к ней стали приходить какие-то люди, которых Володя раньше не видел, они вместе с мамой пили вино... А потом мама попала под машину и умерла. Краем уха мальчик слышал, что мама вроде бы была сильно пьяной и еще она будто бы не случайно оказалась под машиной, а сама бросилась. Это случилось в октябре 1976 года, Володя уже пошел в первый класс.

У Юрцевичей не оказалось родственников, которые захотели бы взять осиротевшего ребенка к себе, и его определили в интернат. Он взял с собой несколько любимых игрушек, учебники, тетради и две фотографии — мамину и папину. Он хотел взять такую, чтобы они были вместе, но не нашел ни одной. Шесть следующих лет смотрел на фотографию отца и представлял, как он вернется, как придет за сыном, приведет его домой, в квартиру на улице Расплетина, и как они заживут вместе, папа будет по утрам уходить на работу, Володя — в школу, вечером папа проверит у него уроки, по выходным будут ходить в планетарий, зоопарк или еще куда-нибудь, неважно — куда, важно, что вместе. У них будет семья. Папа очень хороший, добрый, красивый и умный, и Володя будет о нем заботиться и стараться, чтобы отец никогда не пожалел о том, что не оставил сына в интернате. Даже когда мама уже стала не такой, как раньше, и все время плакала и пила таблетки и вино, она постоянно повторяла:

— Сыночек, самое главное в жизни — семья. Ради ее сохранения можно и нужно идти на любые жертвы. На горло себе наступи, но сделай, если это поможет сохранить рядом с собой тех, кого ты любишь.

Володя из этих слов понимал далеко не все, но основное усвоил: самое главное — семья, и ради нее нужно очень стараться. Он готов был стараться и ждал отца. Он будет очень хорошим сыном, станет учиться на одни «пятерки» и будет все-все-все делать по дому, и в магазин ходить, и квартиру убирать, и стирать, и даже гладить научится, и папа сможет им гордиться и никогда больше не бросит. Володя уже годам к девяти научился понимать, что в тюрьму сажают за нехорошие поступки, и папа не бросил их с мамой по своей воле, а его милиция забрала, и срок по суду назначили, но ведь если человек очень-очень дорожит своей семьей и не хочет расставаться с ней, то он и не будет совершать такие поступки, за которые могут посадить. В это Володя Юрцевич свято верил. А еще он верил в то, что его папа — самый чудесный и порядочный, и ничего он на самом деле не делал такого уж нехорошего, его просто так посадили, потому что кто-то на него очень рассердился. Об этом и мама говорила много раз, и не только ему, но и тем людям, с которыми пила вино. И потом, он же своими ушами слышал, как она кричала той женщине с мальчиками, что папу посадили из-за нее и еще из-за какой-то мамаши, ну, что-то в этом роде. Наверное, папа с ними поссорился, и они на него рассердились.

И вот настал день, когда в интернат приехал отец. Он очень изменился за семь лет, проведенных на зоне, постарел, поседел, на лице появились глубокие морщины, недоставало нескольких зубов, но Володя все равно узнал его с первого же взгляда, недаром все эти годы смотрел на фотографию. Счастье тринадцатилетнего подростка было таким огромным, что оно, казалось, никогда не кончится и его хватит теперь на всю оставшуюся жизнь.

Однако хватило его только на тот, самый первый день, когда Володя бежал навстречу отцу по длинному казенному коридору интерната, а потом собирал свой скудный скарб и прощался с друзьями, пока директор у себя в кабинете готовила все необходимые документы. На то, чтобы забрать ребенка, требовались еще какие-то разрешения от органов народного образования и опеки и попечительства, но директриса — добрая тетка! — разрешила Володе уехать с отцом прямо сегодня, а оформление можно и в другой день закончить.

Дорогу от интерната до дома на улице Расплетина Володя мог пройти с закрытыми глазами, он регулярно проделывал этот путь уже лет с десяти, бродил вокруг дома, смотрел на знакомые с рождения окна и мечтал о том, как вернется сюда вместе с папой. Нужно было проехать пять остановок на автобусе, потом сесть в метро и через три остановки перейти на другую линию. Но отец почему-то не вышел из вагона, когда нужно было делать пересадку.

— Разве мы не домой едем? — удивился Володя.

— Домой, — коротко ответил Сергей Дмитриевич.

— Так нам же на пересадку...

— Мы едем на вокзал.

— Зачем? Мы уезжаем?

— Да. Мы едем домой. Теперь наш дом в другом месте.

Тогда Володя Юрцевич впервые услышал о 101-м километре, той невидимой, но весьма ощутимой границе, которая отделяла столичный регион от всего остального мира. Дважды судимые отщепенцы имели право жить где угодно, только не в столице нашей Родины и прилегающих к ней местностях. И все оказалось совсем не так, как рисовалось в мечтах. Не было ни знакомой квартиры, ни любимых с детства чашек с сине-золотым узором, ни совместных походов в кино, зоопарк и планетарий, ни проверки тщательно приготовленных уроков. Был покосившийся деревянный дом с небольшим участком, выделенный колхозом для нового скотника. А какую еще работу могли здесь предложить человеку, имеющему вместо рабочей профессии две судимости, а вместо паспорта — справку об освобождении из ИТК строгого режима? Ладно бы еще был плотником или слесарем, а то — художник! Кому он нужен-то здесь с таким образованием и такой биографией?

Но Володя не собирался расставаться со своей мечтой так легко. Ну и что, что они теперь живут не в Москве, а где-то в деревне? Ну и что, что папа — скотник, а не художник? Разве это важно? Главное — они вместе, отец и сын, самые родные друг другу люди. Не мог он шесть проведенных в интернате лет ожидания и надежд отринуть вот так, одним махом.

Ему повезло, дети из интерната ходили в обычную общеобразовательную школу, и школа эта была очень хорошей, с требовательными высокопрофессиональными учителями, так что в новой школе Володя без малейших усилий сразу стал отличником. Местные ребята несколько раз били его, били жестоко, за то, что городской, и за то, что отличник, и за то, что девчонки сразу обратили внимание на вежливого симпатягу-новичка, однако интернатская жизнь — штука жестокая, и драться Володя Юрцевич умел. Конечно, местных было больше, а он — один, и одержать над ними верх он никак не мог, однако то безудержное отчаяние, с которым он сопротивлялся до последнего, вызывало уважение.

От него отстали. Отцу он не жаловался. В первый раз, бредя домой с разбитой губой и рассеченной бровью, пытался придумать, что бы такое сказать, чтобы оправдать свой помятый вид, но отец как будто ничего и не заметил. Во всяком случае, вопросов не задавал. В следующий раз Володя уже и не придумывал ничего, все равно не спросит.

Примерно через два месяца после переезда в деревню отец заявил:

— Сегодня поедем в Москву.

Володя обрадовался: ну вот, все налаживается, папа привык к новому жилью и новой работе, и теперь начнется та самая жизнь, о которой мечталось. В Москве они пойдут в кино или еще куда-нибудь, будут разговаривать и есть мороженое. Почему-то именно купленное родителями мороженое олицетворяло для Володи Юрцевича полнокровную семейную жизнь. Но он снова обманулся.

Они долго ждали автобуса, чтобы доехать по платформы, потом три часа тряслись в электричке. Отец в основном молчал, он вообще мало разговаривал, только когда вышли на привокзальную площадь в Москве — вроде бы немного оживился и даже приобнял сына за плечи. Доехали на метро до станции «Маяковская», потом шли пешком по улице Горького, вышли к памятнику Пушкину, и Володе показалось, что они идут каким-то знакомым маршрутом. Смутно припомнилось, что когда-то давно он точно так же шел с мамой... Вот до этого дома, где большой магазин с такими красивыми витринами, потом под арку и во двор. Или ему только кажется? Улица Горького длинная, домов на ней много, и арок много, и дворов.

Отец медленно прошел вдоль дома, обошел весь двор по периметру и уселся на скамейку, усадив сына рядом с собой. Едва увидев эту скамейку, Володя понял, что она — та самая. Он не узнавал дом, не узнавал деревья, которые за семь лет стали выше и толще, и детская песочница выглядит совсем по-другому, и качели, кажется, не те. А вот скамейка — та, это точно. Они с мамой на ней сидели, и мама так горько плакала!

В этот день Володя узнал о том, что у него есть два брата, близнецы. Отец ничего не скрывал, рассказал ему о женщине, которую любил больше жизни и которая родила ему сыновей и умерла. Она жила вот в этом доме, теперь здесь живут его сыновья, Володины братья, их воспитывают тетя и бабушка.

— Я хочу их увидеть, — сказал Сергей Дмитриевич. — Только один раз.

— Значит, мы для этого приехали? — спросил Володя.

Его знобило, он не понимал, радоваться ему или печалиться. Он вспомнил, как мама кричала на ту женщину с мальчиками, и понял, что это была, наверное, тетя или бабушка. Раз мама кричала на нее, значит, эта женщина — злая, плохая. У него есть братья! А он все эти годы ничего не знал о них. Они же тут, в Москве, и он мог бы, живя в интернате, встречаться с ними по воскресеньям, вместе гулять, играть, ходить в кино. Может быть, он ходил бы к ним в гости.

А они знают о нем? Но получается, что папа маму не любил, что ли? Если у него была другая женщина, значит, не любил. Но он же не развелся, не женился на той, другой, значит, наверное, все-таки любил маму... Мысли путались, никак не связывались в логическую конструкцию, наскакивали одна на другую.

— Ты меня с ними познакомишь сегодня, да?

— Нет.

— Почему?

— Они не хотят меня знать, и тебя тоже.

— Почему? — настойчиво спрашивал Володя. — Что мы им сделали плохого?

— Вырастешь — поймешь. Я просто хочу их увидеть.

Почему-то в этот момент Володе вспомнилось, как он обиделся и огорчился, когда отец отказался от предложенной сыном совместной поездки на кладбище, на мамину могилу.

— Я уже был там, как только вернулся, — ответил отец.

— Как же ты нашел могилу? — удивился Володя. — Тебя же не было на похоронах.

— Тетя Рита, мамина подруга, мне показала, она со мной ездила.

— Давай теперь вместе съездим, — настойчиво просил Володя, но отец так и не согласился.

Для Володи эта поездка была особенно важной, он ее вымечтал примерно год назад. Вот папа вернется, заберет его, и они сразу поедут к маме, постоят над могилой, поплачут, обнимутся и так в обнимку и пойдут к выходу, оставляя в прошлом все горести и беды и шагая навстречу новой жизни, полной радости, долгой и счастливой. Вот так как-то это виделось мальчику. Но ничего не вышло.

Значит, к маме вместе с сыном он поехать не захотел, а во двор к чужой тетке потащился, на сыновей посмотреть.

— Как их зовут? — ревниво спросил он.

— Саша и Андрюша.

— Они тебя знают?

— Нет.

— Тогда зачем тебе на них смотреть? Ты даже поговорить с ними не сможешь.

— Вырастешь — поймешь, — повторил отец фразу, которую Володя потом будет слышать очень часто. Так часто, как будет заходить разговор о его братьях и о женщине, которую когда-то любил отец.

Они вынырнули из подъезда внезапно, и отец сразу встрепенулся и схватил Володю за руку.

— Вот они, — одними губами произнес он. — Мои мальчики.

Такой боли и ревности Володя никогда до той поры не знал. В книжках читал про это и не понимал, о чем, собственно, речь, какая такая невыносимая боль в душе? В голове — понятно, и когда зуб болит — тоже понятно, но чтобы душа болела? Оказалось, что зубная боль — ничто по сравнению с тем, что он сейчас испытывал.

Парни были его возраста, но это и понятно, они родились в один год с Володей, на несколько месяцев позже. Рослые, темноволосые, атлетически сложенные, веселые, со спортивными сумками, висящими через плечо, они упруго прошагали метрах в десяти от них, о чем-то увлеченно разговаривая, и скрылись под аркой, ведущей на улицу Горького.

Ни в какое кино отец с сыном не пошли, и мороженого тоже не было. Они вернулись на вокзал, сели в электричку и в полном молчании поехали домой. В вагоне рядом с ними сидел какой-то дядька с транзисторным приемником в руках и с умным видом слушал радиопередачу. В уши Володи то и дело стучали назойливые слова «Уренгой — Помары — Ужгород», которые ему уже оскомину набили, потому что раздавались из всех радиоточек целыми днями. Он с удовольствием поговорил бы с отцом, но тот отвернулся к окну и, кажется, задремал. Мальчик пожалел, что не взял с собой кубик Рубика, сейчас было бы чем заняться. Пришлось развлекать себя самому, и Володя начал вспоминать своих братьев, красивых, веселых, уверенных в себе и в том, что все в их жизни будет просто замечательно. И спортивные сумки у них были замечательные, с тремя полосками, «Адидас». Интересно, настоящие, фирменные, или поддельные? Наверное, настоящие, папа сказал, что у них семья богатая и бабушка — народная артистка, часто за границу ездит на гастроли. Небось оттуда все настоящее привозит. Нудятина про «Уренгой» наконец закончилась, и стали передавать концерт по заявкам. Из транзистора полилась популярная песня в исполнении Софии Ротару, «Меланколия — дульче мелодия», и Володя стал представлять себе, как здорово было бы прийти на танцы в настоящих «адидасовских» кроссовках и пригласить Зойку Веденееву, самую красивую девчонку в классе...

Володя не умел объяснить самому себе происходящее в категориях, понятных тринадцатилетнему подростку, а отец ничего больше объяснять не хотел, и мальчику пришлось обходиться собственной логикой. Папа просто отвык, говорил он себе, в тюрьме, наверное, совсем другая жизнь, и он отвык от того, что у него есть сын, и с ним можно общаться, и ездить куда-то, ну пусть не в Москву, но хотя бы на рыбалку или в райцентр, там клуб есть и кинотеатр. Он переживает из-за того, что ему не разрешили жить в Москве, загнали за 101-й километр и не дают работать художником. Ему нужно время, чтобы оправиться, прийти в себя, и Володя должен набраться терпения и быть хорошим сыном. Все наладится, только нужно очень стараться. Так мама говорила.

Но время шло, и ничего не налаживалось. Отец по-прежнему не обращал на сына внимания и очень мало с ним разговаривал, успехами в учебе не интересовался и даже на родительские собрания в школу не ходил. Зато примерно раз в два месяца ездил в Москву посмотреть на сыновей. Володя с ним не ездил, слишком больно было.

Потом, как-то одновременно, боль утихла, а отец начал выпивать. Произошло это примерно через год после переезда в деревню. Однажды Сергей Дмитриевич здорово напился, упал, разбил лицо. Володя сбегал за фельдшером, потом всю ночь сидел возле постанывающего отца, менял компрессы и примочки, приносил питье с медом и лимоном. Через два дня настало воскресенье, и отец собрался в Москву. По воскресеньям Саша и Андрей выходили со спортивными сумками из дома примерно в одно и то же время, похоже, ездили на тренировки в какую-то секцию, и отец теперь ездил в столицу не наугад, а к точно определенному часу. Если мальчики ехали на тренировку не из дома, то по ее окончании обязательно возвращались домой.

— Ты никуда не поедешь, — строго сказал Володя, критически оглядывая покрытое корками засохшей крови лицо отца. — Тебя задержит первый же милиционер. Ну ты посмотри на себя! Натуральный бомж. А если их тетка выйдет и тебя заметит? Ты говорил, она с тобой знакома. Вдруг она тебя узнает? Испугается еще, милицию вызовет. Тебе это надо?

Сергей Дмитриевич хмуро взглянул в зеркало и тяжело плюхнулся на продавленный, с прорванной обивкой диван.

— Тогда поедешь ты.

— Это зачем?

— Посмотришь на них.

— Чего мне на них смотреть? Я их уже видел, — Володя не мог сдержать злость и говорил грубо.

— Я должен быть уверен, что с ними все в порядке, что они не болеют и вообще... Тебе не понять. Вырастешь — поймешь.

Главное — семья. Наступи себе на горло, но сделай так, как нужно твоим близким и любимым.

108

— Хорошо, — сцепив зубы, ответил он, — я поеду.

Он добросовестно прождал братьев, убедился, что они бодры и веселы, преодолел, хотя и не без усилий, искушение подойти познакомиться и рассказать им всю правду о том, что у них общий отец, и вернулся домой.

— Ну, как они?

И снова Володю укусила ядовитая боль. Когда он приходит домой, отец молчит и в лучшем случае просто кивает, а то и вовсе не замечает сына, а тут кинулся с вопросом, едва Володя порог переступил.

— Нормально, — сдержанно ответил он. — Здоровы.

— Как они выглядят? — жадно допытывался отец. — Во что были одеты? Рассказывай подробно.

— Да нормально они выглядят, как все. Один в красном свитере и в джинсах, другой в сером свитере и тоже в джинсах.

— В красном — это Саша, — уверенно произнес Сергей Дмитриевич.

— Откуда ты знаешь?

— Он всегда был более активным, энергичным, жизнерадостным. Неудивительно, что он любит красный цвет. Андрюша совсем другой, более спокойный, задумчивый. Ну, что ты молчишь? Рассказывай дальше.

— Да что дальше-то? Ну вышли из подъезда, прошли мимо, вышли на улицу. Вот и все.

— Они разговаривали? Смеялись? Или молчали?

— Не помню, — буркнул Володя.

Он с трудом сдерживал злые слезы обиды и отчаяния. Никогда папа не интересовался им самим так живо и трепетно, как этими парнями, которые его и знать не знают. Получается, что он их любит, а его, Володю, преданно ждавшего его на протяжении долгих интернатских лет, — не любит и вообще не замечает. Ему нужны только эти мальчишки, а Володя совсем не нужен.

С того дня отец снова начал рисовать, только карандашом — на кисти и краски не было денег, и Володя сперва обрадовался: папа становится прежним! Сергей Дмитриевич не показывал сыну свои работы, просто рисовал и складывал в папку, а папку куда-то прятал, но Володя и не пытался искать. Ему неинтересно было, что именно на этих рисунках, какая разница? Главное — папа рисует, он возвращается из страшного холодного небытия, наполненного молчанием и водкой. Спустя какое-то время Володя обнаружил, что отец не только рисует, но и пишет что-то в толстых тетрадках за 44 копейки. Может быть, книгу сочиняет? А что, вполне возможно, бывает же так, вот, например, «Записки серого Волка» Ахто Леви, Володя читал, ему очень понравилось, и про жизнь зэков так здорово написано! Папа тоже напишет книгу, ее напечатают, папа станет известным, может, даже известнее, чем бабушка этих противных мальчишек, которая привозит им из-за границы настоящие фирменные шмотки, и тогда им разрешат вернуться в Москву, и все наладится...

Непонятно, откуда у мальчика, проведшего

детство в интернате, появилась такая деликатность, но факт остается фактом: он ни разу не пытался найти ни папку с рисунками, ни тетради, которые отец тоже прятал. Собственно, спрятать-то их особо негде было, только в подполе, и Володя довольно скоро это обнаружил, когда полез туда за квашеной капустой, но ни к рисункам, ни к тетрадям он даже не прикоснулся. Это нельзя. Это чужое.

Отец пил все сильнее, и Володе все чаще приходилось ездить в Москву вместо него. Он привык и к этим поездкам, и к боли, которая стала тупой и ноющей и на которую он почти не обращал внимания. В девятом классе Володю словно подменили, он из отличников превратился в троечника и прогульщика и проводил время в компании, которую в официальных документах именовали «неблагополучными подростками» и «группой повышенного риска». Став взрослым, он впоследствии уже не мог вспомнить, было ли это его сознательным выбором или он действовал интуитивно, но так или иначе дешевое вино, а порой и самогонка, сигареты, заброшенная учеба и регулярные драки были очередной неумелой и, как оказалось, бесплодной попыткой обратить на себя внимание отца. Володя мог прийти домой за полночь и с запахом спиртного, мог утром вообще не пойти в школу и остаться в кровати — никакой реакции со стороны Сергея Дмитриевича не было. Пришел — хорошо, лежишь — лежи. Парень с немыслимой скоростью катился в пропасть, и все могло бы закончиться совсем плохо, если бы в райцентре, куда он с друзьями приехал с намерением сходить на танцы и разобраться с местной шпаной, всю компанию не забрали в милицию.

Толстая тетка — инспектор по делам несовершеннолетних по фамилии Мордасова, которую вся местная пацанва знала в лицо и в своем кругу именовала Мордой, быстро провела профилактическую беседу со всеми задержанными по очереди, оставив Володю Юрцевича напоследок. Он ждал, сидя на жесткой скамье, окрашенной в казенный мутно-шоколадный цвет, и откровенно скучал. Разговора с Мордой не боялся: видел, что ребята выходят из ее кабинетика каждые десять минут, значит, ничего серьезного там не происходит, так, обычная болтология, слушайся родителей и хорошо учись, тогда у тебя есть шанс вырасти настоящим коммунистом и принять участие в построении светлого будущего.

Когда подошла его очередь, спокойно зашел в тесную комнату, заставленную цветами в горшках, чтобы скрыть облезлые стены. Сел, глядя на Мордасову с вызовом и демонстративной надменностью. Та что-то быстро записывала в толстую «амбарную» книгу.

— Сейчас, Володюшка, минутку подожди, — произнесла она неожиданно красивым голосом, не поднимая головы.

Володя вздрогнул. Володюшка! После смерти мамы его так никто ни разу не назвал. Ладно, знаем мы эти штучки, сначала ласковым пряником заманит, а потом как начнет кнутом стегать! Дескать, кто первым драку начал, а кто предложил, а почему, кто кого ударил и все в этом роде. Дальше в ход пойдут угрозы сообщить в школу и на работу родителям, поставить на учет... Известное дело.

Морда закончила свою писанину и «амбарную» книгу почему-то убрала. Она что, не собирается записывать, что проводила с ним беседу, внушала прописные истины, а он клялся и божился, что больше так не будет?

— Ну что, Володюшка, — она грустно посмотрела на него, — допрыгался, соколик? Твои дружки — бог с ними, я про них уж лет пять как все знаю и ничего хорошего от них не жду, но ты-то как поддался на эту дешевку? Ты же такой разумный парень, самостоятельный, из хорошей семьи. Как же тебя угораздило?

— А че такого? — он изобразил тупое недоумение. — Че я сделал-то?

Мордасова вздохнула и горестно покачала головой.

— Я на твой вопрос отвечать не буду. Отвечать на такие вопросы — это себя не уважать. Я сейчас тебе кое-что скажу, а ты просто послушай. Не перебивай, не возмущайся, не вякай ничего, просто послушай. Если захочешь — потом поговорим, не захочешь — домой поедешь. На все твоя воля. Так вот, Володюшка, таких, как твой отец, в нашем районе — пруд пруди, все с судимостями, которых за сто первый километр загнали. Есть среди них и воры, и бандиты, и убийцы, и насильники, всякие есть. Но ты, дружок, не знаешь, что есть люди, для которых совершенное ими преступление — вина и тяжкий грех, а есть такие, для которых оно — несчастье. Такие нечасто встречаются, но бывают. И твой отец — из их числа. Ты, может, думаешь, что если ты в колхозной деревне живешь, а я в райцентре работаю, так я про тебя и твою семью ничего не знаю? Ошибаешься. Я про всех все знаю. Работа у меня такая. Каждый новый человек на заметку попадает, каждый подросток у меня на карандаше. Просто мы до поры до времени не встречаемся, если повода нет. А уж как повод случится, тогда, сам понимаешь... Живется тебе, Володюшка, тяжело. Отец твоим воспитанием совсем не занимается, работает и пьет, пьет и работает, больше ни на что у него ни времени, ни сил не хватает. Знаю, что рисует понемногу, знаю, что пишет что-то. Соседи видели. А сам ты поначалу совсем другим был, я с учителями твоими разговаривала — они нахвалиться не могли, только и разговоров, какой ты умненький, старательный, вежливый и дисциплинированный. И вдруг в одночасье все изменилось. Почему? Что произошло? Любовь неудачная? Нет. Отец другую женщину в дом привел? Тоже нет. Тогда что же? И я знаешь что подумала? Только не перебивай меня, даже если не согласен. Это тебе может в первый момент показаться, что ты не согласен, а ты подумай над моими словами, авось и согласишься, и выводы сделаешь. Ты любишь своего отца и пытаешься добиться, чтобы он тоже тебя любил. Ты хочешь, чтобы он думал о тебе, заботился, переживал за тебя. А он не думает, не заботится и не переживает, правда ведь? В доме хозяин — ты, ты покупаешь продукты, готовишь еду как умеешь, драишь полы, ремонтируешь, если что ремонта требует, руки у тебя хорошие, это все соседи подтверждают. Так что не отец о тебе, а ты о нем заботишься. А тебе хочется, чтобы было наоборот. Тебе хотелось, чтобы он тобой гордился, а он даже на родительские собрания не ходил и не слышал, как тебя учителя хвалят и в пример всему классу ставят. И ты что сделал? Связался с компанией Лешки Белоногова, стал домой приходить среди ночи да выпивший: дескать, пусть отец поволнуется, пусть хоть таким способом начнет о тебе думать и беспокоиться. Учебу вон забросил совсем, в журнале одни тройки да двойки. А отец — ноль внимания. Обидно? — спросила Мордасова и сама себе ответила: — Конечно, обидно. Но только логика твоя — порочная, потому что если ей следовать, то сейчас пьянки и драки, а потом и судимость за хулиганство или, не приведи господь, за убийство. В драке-то всякое может случиться, сам знаешь. На зону пойдешь. Даже если твой отец от этого горя в себя придет и начнет о тебе думать и беспокоиться, тебе-то от этого ни жарко, ни холодно, потому что ты будешь находиться в колонии и отцовской заботы и любви все равно не почувствуешь. Дошло? Твое поведение будет иметь логическое завершение в виде определенного результата, который называется «судимость и срок», но это совсем не тот результат, к которому ты сейчас стремишься. Ты можешь распоряжаться своей жизнью как тебе угодно, жизнь твоя, и делай с ней что хочешь. Как говорится, на все твоя воля. И если ты мне сейчас честно и ответственно подтвердишь, что хочешь на зону, я тебя тут же отпущу и больше ничего говорить не стану. Хочешь — иди, туда у нас каждому дорога открыта. Но если твоя цель все-таки не зона и не судимость, а нормальные отношения с отцом, то мой долг предупредить тебя, что таким гнилым способом ты результата не достигнешь. Тут надо искать другие пути.

— Какие? — машинально спросил Володя и тут же осекся.

Чего она городит? Ее послушать, так получается, что он специально с Белоноговым и его дружками якшается, чтобы папа на него внимание обратил? Да плевать он хотел на это внимание! Сто лет без него прожил — и дальше проживет.

— Какие? — повторила Мордасова Володин вопрос. — Я тебе скажу какие. Ты фильм «Место встречи изменить нельзя» видел?

— Ну а то, — ухмыльнулся Володя. — Кто ж его не видел?

— Тогда назови мне правила Глеба Жеглова. Хотя бы те, которые помнишь.

Оказалось, что Володя не может назвать ни одного и вообще с трудом припоминает, что в фильме шла речь о каких-то правилах.

— Эх ты! — рассмеялась Мордасова. — Ну помнишь, Жеглов учит Шарапова, как надо со свидетелями разговаривать, и объясняет, что для того, чтобы расположить человека к себе, надо с ним разговаривать о том, что ему интересно, а для любого человека интереснее всего — он сам. Спроси, говорит, человека об нем самом — и он твой со всеми потрохами. Ну, вспомнил?

— Вспомнил, — кивнул Володя. — И чего?

— А того, — она почему-то рассердилась. — Вот тебе обидно, что отец ничего у тебя не спрашивает и жизнью твоей не интересуется. А ты о его жизни много знаешь? Ты сам-то его жизнью интересуешься? Ты вот хочешь, чтобы он на тебя внимание обращал, а ты сам-то на него внимание обращаешь?

— А чего его жизнью интересоваться? — грубо ответил он. — И так все ясно. Спит, ест, работает в колхозе, пьет. Все известно.

— Он рисует, — напомнила инспектор. — И пишет. Что? Что он рисует? Что пишет?

— Не знаю, — пожал плечами Володя.

Мордасова откинулась на ветхом стульчике, который под ее массивным телом натужно скрипнул.

— Интересное кино, — протянула она. — Ты что же, рисунков не видел?

— Нет. Папа не показывает.

— И в тетрадки к нему не заглядывал?

— Нет. Это же его тетрадки.

— Неужели не любопытно?

— Не-а.

— Вот. Об этом я тебе и твержу битый час, — удовлетворенно констатировала Мордасова. — У тебя нет к отцу нормального человеческого интереса, а ты хочешь, чтобы он, со своей стороны, к тебе этот интерес испытывал. Несправедливо. Короче, друг любезный, я тебе сказала — ты меня услышал. Пьянки твои и гулянки вместо учебы ни к чему дельному не приведут. Хочешь наладить отношения с отцом — поинтересуйся его творчеством, поговори с ним об этом.

— Так он и скажет! — фыркнул Володя. — Ага, ждите.

— А ты, можно подумать, маленький, — инспектор укоризненно покачала головой. — Открой тетрадочку да посмотри сам. Ты уже взрослый, вполне разберешься, о чем там речь, что твоего отца волнует, о чем он думает. Вот об этом с ним и разговаривай. Рисунками поинтересуйся, погляди, что на них. Если боишься, что не поймешь, — приходи ко мне, вместе обсудим и подумаем.

Только спустя много лет, уже работая в милиции, Володя Юрцевич понял подоплеку этого разговора. Всевидящее око КГБ не желало упускать из поля зрения пусть и бывшего (а кто его знает? может, и не бывшего), но все-таки диссидента. Конечно же, комитетский оперативник, обслуживающий тот район, где находился колхоз, присматривал за Сергеем Дмитриевичем Юрцевичем, контактировал с соседями, собирал информацию, узнал про рисунки и тетрадки и дал задание местной милиции при случае поинтересоваться, что там и как. В сельской местности работать трудно, это вам не город с многоэтажными домами и полной анонимностью, в городе вскрыть квартиру и сунуть нос в чужие рукописи — дело плевое, никто и не увидит, а если и увидит, то внимания не обратит, поскольку соседей, как правило, в лицо не очень-то знают. А на селе попробуй сунься в отдельно стоящий дом! Тебя тут же человек десять заметят и тревогу поднимут. Так что пришлось действовать через сына.

Со свойственной шестнадцатилетнему парню уверенностью в том, что все взрослые — придурки, Володя тогда твердо решил, что Морда — дура набитая. Он пьет вино и болтается с Белоноговым потому, что ему это нравится, а вовсе не для того, чтобы отец обратил на него внимание. И вообще, что она понимает в жизни, эта корова, поперек себя шире? И уж конечно, он ни за что не станет докладывать ей о содержании отцовских тетрадей и папок с рисунками, да еще и советоваться. Еще что выдумала! Тоже мне, советчица!

Но сказанные Мордасовой слова упали, как оказалось, на благодатную почву и очень скоро пустили ростки. Вероятно, она была не так уж и неправа, когда пыталась объяснить задержанному за групповую драку Володе Юрцевичу истинные причины его изменившегося поведения. О том, чтобы заглянуть в отцовские папки и тетради, Володя подумывал все чаще и чаще. И наконец решился.

Лучше бы он этого не делал... Все рисунки оказались портретами живущих в Москве сыновей, Саши и Андрюши, и еще какой-то девушки, пухлощекой, с очаровательными ямочками, улыбчивой и ясноглазой. Володя почему-то сразу понял, что это та женщина, которую любил отец и которая родила близнецов и умерла. На отцовских рисунках отчего-то выходило, что у Саши взгляд был точно таким же, как у девушки, открытым и радостным, а вот Андрюша смотрел грустно и задумчиво, точь-в-точь как папа на той фотографии, которую Володя когда-то взял с собой из дома в интернат и на которую каждый день смотрел. Надо же, как странно, братья — близнецы, а он так легко различает их. Разве так бывает?

Там же, в папке, обнаружились и фотографии мальчиков. На одной они были совсем маленькими, лет шести, на другой — нынешние, такие, какими их видел сам Володя, когда по поручению отца в очередной раз ездил в Москву. Наверное, папа их тайком сфотографировал. И ни одного рисунка с портретом мамы или самого Володи.

Скрипнув зубами, чтобы не завыть от обиды, он завязал ленточки на папке, положил на место и открыл одну из тетрадей. Стал читать красивый четкий отцовский почерк и долго не мог понять, что это. «Дорогая моя Наденька, хочу снова поговорить с тобой...» «Милая моя Надюша, как же я стосковался без тебя!» «Наденька, любимая моя, мне сегодня приснился страшный сон...» На дневник как-то мало похоже, а уж тем более на роман из жизни зэков. Господи, да это же письма той женщине, матери Саши и Андрея. Женщине, которая умерла шестнадцать лет назад. Отец называл ее имя: Надежда. Надежда Филановская.

Истина открылась ему внезапно, и Володя в

один миг повзрослел на несколько лет. Его отец — сумасшедший. Он свихнулся на своей Наденьке и своих сыновьях. Он живет в выдуманном мире, где рядом с ним — его семья, его любимая женщина и его обожаемые мальчики, их общие дети. И не нужно сердиться на него за то, что он не замечает Володю, потому что бессмысленно сердиться на сумасшедших, они же как неразумные дети. Их надо любить, заботиться о них, опекать. Папа ни в чем не виноват, он просто сошел с ума. Если кто и виноват, так это Филановские. Почему они не отдали маме мальчиков, когда она просила об этом? Папа рассказывал, что, когда его в первый раз посадили, мама приходила к Филановским и просила отдать ей близнецов, обещала вырастить их и воспитать как полагается. Почему они не отдали? Братья выросли бы вместе, у мамы с папой было бы трое детей, и папу бы не посадили снова, и мама не начала бы пить и не погибла. А если бы папу все-таки посадили, то уж трое-то детей всяко удержали бы маму, с ними было бы столько хлопот, что до пьянства руки бы не дошли. И уж в любом случае папа не сошел бы с ума.

В тот момент Володя Юрцевич был свято уверен в правильности собственных логических построений. И именно в этот момент начала вызревать объемная и наполненная ненавистью идея мести семье Филановских.

Дело шло к выпускным экзаменам, но за год, проведенный в обществе Лешки Белоногова и его компании, учеба оказалась запущена до такой степени, что поправить уже ничего было нельзя. Володя клял себя последними словами за то, что не пошел после восьмого класса в ПТУ. Не послушал бы учителей, хором предрекавших ему золотую медаль и поступление в любой институт без вступительных экзаменов, не остался бы доучиваться в десятилетке — сейчас уже был бы с профессией в руках и мог бы деньги зарабатывать и нормально содержать отца и себя. А какая ж теперь медаль? И об институте речи нет, куда ему с такими знаниями и оценками, за оставшееся время упущенное ни за что не наверстать. Значит, придется после окончания школы побыть разнорабочим с годик, а потом в армию забреют. Конечно, если бы отец оформил инвалидность по психзаболеванию, то единственного сына, может быть, и не забрали бы на два года, но об этом и речи не шло. Володя не мог сказать отцу: папа, ты сумасшедший, пройди комиссию и получи документы о том, что ты нуждаешься в уходе. Сумасшедшим быть стыдно, и невозможно даже подумать о том, что весь колхоз будет этой постыдной тайной владеть. Пусть думают, что скотник Сергей Дмитриевич Юрцевич, он же Митрич — просто тихий алкаш, бич — бывший интеллигентный человек, безобидный и безвредный, никому в пьяном угаре морду не бьет, агрессивным не становится, а просто рисует что-то там такое, пишет и ложится спать. А то, что замкнутый и неразговорчивый, — так это характер такой. Жизнь сильно била — вот и сломался человек.

В армию Володя ушел с весенним призывом 1987 года. Попросил соседей присматривать за отцом, те обещали помочь, если что. Ни на что не надеясь, он на второй месяц службы написал домой письмо, просто так написал, от скуки. Все писали, кто родителям, кто — любимым девушкам, кто — друзьям, и ему не хотелось объяснять, почему он никому не пишет, вроде ведь не сирота. К своему немалому удивлению, довольно скоро получил ответ, короткий и нейтральный, без малейшего намека на теплоту родительских чувств, но Володя страшно обрадовался. Может быть, разлука расставит все по своим местам, отец соскучится, поймет, как ему недостает сына, именно этого сына, а не тех далеких полузнакомых парней с улицы Горького...

Через два года он вернулся и понял, что ничего не изменилось. Он напрасно надеялся и мечтал. Отец по-прежнему пил, рисовал карандашом портреты, писал письма Наденьке. О том, что сын должен вернуться из армии, он и думать забыл.

* * *

В 1989 году люди кидались зарабатывать, кто как может. Кооператор Артем Тарасов, например, заработал столько, что собрался заплатить партвзносы в размере миллиона рублей, о чем надсадно кричали все газеты. Бывший дружбан Леха Белоногов от армии открутился, у него обнаружили множество каких-то болячек, в том числе и туберкулез, который совершенно не мешал ему вертеться и делать деньги. Он «варил» джинсы, которые ловко шила его старшая сестра, и продавал в Москве за поистине бешеную по тем временам цену. Вернувшемуся из армии Володе Юрцевичу он предложил войти в дело.

— У тебя соображаловка пашет, — коротко объяснил он собственные мотивы. — Расширяться надо, бабок не хватает. И рожа у тебя благообразная, тебе легче будет договариваться и решать вопросы.

Присмотревшись к тому, как у Белоногова поставлено дело, Володя понял, что его сестра — портниха, что называется, от бога, и тратить ее талант на банальные штаны, которые строчатся по одному лекалу, это все равно что заколачивать гвозди калькулятором.

— Видак можешь достать? — спросил он Леху.

— На кой? — тот блудливо ухмыльнулся. — Порнуху смотреть? Или ты видеосалон решил открыть? Так имей в виду, это поле уже вспахано, этим у нас такие крутые ребята занимаются, что нам туда и не сунуться. Враз ноги поотрывают.

— Дурак, — беззлобно ответил Володя. — Нужен видак и несколько американских и французских фильмов, лучше про любовь-морковь, только не исторических, а из современной жизни. И не труха какая-нибудь семидесятых годов, а новье. Сможешь?

— Да легко. Только объясни, зачем.

— Объясняю. «Варенки» сегодня только ленивый не делает. Их в Москве на рынке столько, что расширяться невозможно. Нужно шить модельные шмотки, такие, как в западном кино. Твоя сеструха сможет, я уверен, надо только модели посмотреть. Опять же, можно было бы достать журналы, но по журналам шить — умных много, а надо придумать такое, чтобы мы с тобой в этом поле одни сидели. Надо шить женские тряпки именно такие, какие бабы на видеокассетах видят, понял? Или мужские куртки и рубахи, как в крутых боевиках. Стильно. Рекламу делать на этом. Блузка как у героини в фильме «Долгий поцелуй», платье как в фильме «Увядшая роза». Бабы купятся. Я бы делал ставку именно на них, а не на мужиков, мужики все-таки в основной своей массе к тряпкам равнодушны. Джинсу они покупают с удовольствием, но в какой куртке был Сталлоне или Курт Рассел, никогда в жизни не вспомнят. И потом, джинсы — они и есть джинсы, они на вид одинаковые, а зачем человеку пять одинаковых штанов? Он максимум две пары приобретет — и доволен, а блузок и платьев может быть десять, пятьдесят, сто, и их никогда не будет много. Тут можно расширяться до бесконечности.

Леха подумал немного и одобрительно кивнул:

— Голова. Думаешь, сеструха моя справится? Она, кроме джинсов, ничего не шила, вообще-то...

— Да много ты понимаешь! Не шила она, как же. А то, в чем она ходит, кто шил? Неужели в магазине куплено?

— Да нет, это она сама, — растерянно подтвердил Белоногов. — Я как-то не думал...

— Ну правильно, ты не думал. Теперь думай.

Через неделю сестра Белоногова сидела перед включенным видеомагнитофоном и быстро срисовывала модели, в которых щеголяли голливудские актрисы, еще неделя ушла на поиски по всей Москве подходящих тканей. Через месяц Леха Белоногов и Володя Юрцевич повезли в столицу первую пробную партию, которую сдали постоянному покупателю в коммерческую палатку возле Киевского вокзала. Покупатель немало удивился, но товар взял, заплатив по минимуму: неизвестно еще, как пойдут эти блузки и юбки. Леха приуныл, он был уверен, что новые модели не только с руками оторвут, но и денег отвалят побольше.

— В следующий раз на Рижский повезем, — угрюмо заявил он, потягивая пиво из высокой кружки, — у меня там тоже завязки хорошие.

Однако поздним вечером того же дня Лехе домой позвонил торговец с Киевского и поинтересовался, когда будет новая партия, ибо сегодняшнюю разобрали в течение двух часов. Как оказалось, Володя Юрцевич попал точно в цель.

Через некоторое время у них уже была собственная палатка на Рижском рынке, вместе с сестрой работали еще четыре швеи, а товар возили в Москву на новеньких «Жигулях». Спустя еще полгода Володя понял, что это не для него. Слишком много поборов, слишком за многое приходится платить, слишком часто «наезжают» братки, требующие, чтобы с ними «делились», слишком рискованно устраивать «разборки». Деньги, конечно, рекой текут, но и убить могут в любой момент и не за понюх табаку. А как же отец? Беспомощный, неприспособленный, тихий сумасшедший, он же совсем пропадет без сына. Да, пока что он вполне сохранный, если не считать портретов и писем, сможет и продукты купить, и еду приготовить, и постирать, и с работой справляется, но ведь ему уже к шестидесяти катит, выпрут через четыре года на пенсию — и что? Как он будет жить? А вдруг мозги у него совсем откажут? Леха, что ли, Белоногов будет содержать Володиного отца? Как же, дожидайся. Нет, рисковать нельзя, хотя и заманчиво, уж больно заработки хорошие, вот уже Володя и машину купил, еще немного — и можно подумать о перестройке дома. Но зачем отцу хороший дом, если он будет жить в нем один и некому будет о нем позаботиться? Кооператоров убивали каждый день, и каждый день мог стать последним в жизни Володи Юрцевича.

Нужно было подумать о государственной службе, причем такой, чтобы и платили прилично, и в случае чего престарелому отцу полагалась бы пристойная пенсия в связи с потерей кормильца. Однако какая же может быть государственная служба без образования? Разве что курьером или вахтером. Правда, есть такая организация под названием «милиция»...

Всех сотрудников милиции, обслуживавших Рижский рынок, Володя знал в лицо и по именам, ибо самолично отстегивал им заранее оговоренные суммы.

— Валяй, — бодро ответил ему знакомый сержант, — у нас кадровый некомплект, возьмут тебя с удовольствием, тем более ты армию отслужил и прописка у тебя областная. Со здоровьем-то как? Военно-врачебную комиссию пройдешь?

— Для армии сгодился, — усмехнулся Володя. — У меня другая проблема: у отца две судимости.

— Ни фига себе! — присвистнул сержант. — Какие?

— Экономические. Но это давно было, он уже десять лет как по второй судимости освободился, работает в колхозе.

— У-у-у, тогда нормально. Сейчас всех берут, работать некому. На крайняк занесешь кадровику, который материалы спецпроверки готовит, — и порядок.

— Много заносить-то?

— Ну, это на кого попадешь. Некоторым хорошей бутылки хватает, а некоторым бабло в конвертике надо нести. Да не маленький, сам разберешься. Так что давай дуй в свою местную ментуру, просись в доблестные органы. У нас такой бардак, Вовка, что с любой биографией есть шанс проскочить.

Сержант оказался прав, две отцовские судимости Володе Юрцевичу не помешали, хотя он на всякий случай отнес кому надо бутылку дорогого коньяку и «посоветовался». Его направили в патрульно-постовую службу, через год Володя сдал вступительные экзамены и был зачислен на заочное отделение одного из милицейских вузов. К 1998 году он имел диплом о высшем юридическом образовании, некоторый опыт работы в уголовном розыске, куда его взяли, когда он был на третьем курсе, и обширные зна-

комства в московском правоохранительном со-
обществе. Он обладал удивительной способно-
стью устанавливать контакты и строить отношения, его любили и почти никогда в просьбах
не отказывали. Служба шла успешно, Юрцевич
получал очередные звания и повышения в
должности и зарплате.

Вот только с личной жизнью были проблемы. Он не мог оставить отца, а ни одна женщина не соглашалась жить вместе с тихопоме-
шанным свекром. У Володи несколько раз слу-
чались романы, в том числе и серьезные, но жениться так и не удалось. Особенно болезненно
переживал он разрыв с девушкой, которую действительно очень любил, но которая наотрез
отказалась выходить за него замуж: больших денег у жениха нет, а больной отец есть. Но от-
правляться в поход за большими деньгами Володя опасался, уж ему-то было достоверно известно, сколько опасностей таят в себе эти
походы, и рисковать, пока отец жив, он права
не имеет. Главное — семья, ради нее можно и
нужно идти на любые жертвы, так мама учила.
Правда, после расставания с той девушкой Володя всерьез задумался о том, о какой, собственно, семье идет речь: о той, в которой существу-
ют они с отцом, или о той, которую можно создать с любимой женщиной. И чем можно и
нужно жертвовать — сыновней любовью или
мужской? Ответа на вопрос он для себя не нашел и продолжал жить как и прежде, ежедневно
ездил в Москву на службу, тратя на дорогу в оба
конца больше пяти часов (на машине получа-

лось быстрее, чем на автобусе и электричке), заботился об отце, который с 1994 года вышел на пенсию и сидел дома, рисовал и писал письма на тот свет. Ну и попивал, разумеется.

Володя давно смирился с тем, что сам по себе он отцу неинтересен, и, памятуя уроки толстухи Мордасовой, делал все возможное, чтобы контакт с отцом все-таки имел место. Он добросовестно собирал сведения о жизни братьев Филановских и регулярно докладывал отцу, приносил фотографии, которые делал сам, и газеты, если в каких-нибудь публикациях мелькало имя владельца издательства «Новое знание» Александра Филановского. О «своих мальчиках» отец разговаривал с удовольствием, выспрашивал у сына подробности и заставлял по многу раз пересказывать одно и то же. Володя сперва внутренне морщился, потом привык: в конце концов, какая разница, о чем они разговаривают, главное — они больше не молчат, и не стоит в их доме гнетущая тишина, и появилась хотя бы иллюзия нормальных семейных отношений. Отец больше не прятал рисунки, показывал их Володе, и тетради с письмами тоже не прятал, хотя написанного прочесть не предлагал, просто перестал скрывать свои занятия, и Володя чувствовал, что отец ему благодарен за это. Эта благодарность была единственным теплым чувством, которое он принял от Сергея Дмитриевича за без малого двадцать лет.

В 2000 году отец умер от сердечного приступа. За подзахоронение в могилу матери администрация кладбища запросила такие деньги, что у Володи в глазах потемнело. Он похоронил Сергея Дмитриевича на местном погосте и молча подивился тому, сколько народу пришло и на похороны, и на девять дней, и на сороковины. Володя был уверен, что бывшего скотника, в последние годы почти не выходившего из дома, здесь не только не помнят, но многие и не знают вовсе. И не ошибся.

— Это, Володенька, не с отцом твоим проститься пришли, ты уж прости меня, грешницу, — объяснила ему соседка, помогавшая устраивать помины, — это люди пришли тебя поддержать. Сергея Дмитриевича, земля ему пухом, мало знали, он ведь ни с кем особо не общался, пил и то в одиночку, а тебя у нас любят и жалеют, хороший ты человек, добрый, отца не бросил, до последнего чуть не с ложки кормил. Думаешь, люди ничего не видят и не понимают? Все они видят, и все знают, и все понимают. Дай тебе бог счастья. Грех так говорить, но освободил тебя Сергей Дмитриевич. Теперь женишься, девушку хорошую найдешь, семью заведешь, детишек. Продавай дом и переезжай в Москву, за твой участок хорошие деньги дадут.

Это было правдой. Колхоза давно уже не существовало, но хозяйство было крепким и обширным, и на его месте возникла крупная агрофирма, которая скупала землю под строительство и развитие собственной инфраструктуры. Дом Юрцевичей стоял на самой окраине, до него интерес новых владельцев пока не дошел, и никаких коммерческих предложений еще не поступало, но долго ждать не придется, агрофирме нужны хорошие подъездные пути, и проходить они будут в аккурат по участку. Дом-то слова доброго не стоит, а вот земля под ним имеет большую цену, и хотя земля у Юрцевичей не в собственности, а всего лишь в пользовании, выселить их за три копейки не удастся. Если только бандитов пришлют...

Володя не стал дожидаться прихода братков, сам проявил инициативу, зашел к местным властям, заручился их поддержкой и отправился к руководству фирмы. То ли люди там нормальные оказались, то ли с властями у них были какие-то свои особые отношения, то ли и вправду умел Владимир Юрцевич так с людьми разговаривать, что даже самые спорные вопросы решались так, как ему хотелось, но в результате деньги он получил более чем приличные.

«Все, — думал он, складывая пожитки в новенькие, специально купленные чемоданы, — теперь я могу делать то, что считаю нужным. Вы мне за все заплатите, братья Филановские. Пока папа был жив, я вас не трогал, потому что он вас любил, но теперь у меня руки развязаны».

В его плане было четыре пункта. Первый: найти жилье в Москве, деньги на это имеются, ведь все, что он заработал на тряпках, Володя отдал Лехе Белоногову на развитие на определенных условиях, и Леха, раскрутившийся за эти годы и ставший богачом, от своих обязательств не отказывается, готов выплатить Юрцевичу его многократно выросшую долю в любой момент, только пусть предупредит месяца хотя бы за два. Второй пункт: сменить имя и фамилию, пользуясь связями в милиции. Причина давно придумана, якобы бывшие отцовские «сокамерники» покоя не дают, кроме того, всякие общества по защите жертв репрессий нарыли какие-то документы, из которых следует, что Сергей Юрцевич числился в оперативных материалах бывшего КГБ как диссидент, и постоянно к Юрцевичам являются какие-то люди, задают вопросы, предлагают правовую помощь, просят дать интервью, а ему, Владимиру, копаться во всем это совершенно ни к чему. Что было — то было, и к Володе это никакого отношения не имеет. Кстати, все это, кроме, разумеется, бывших «сокамерников», было чистой правдой. Пункт третий: уволиться из МВД и поступить на работу в частное детективное или охранное агентство. И, наконец, четвертый: добраться до Филановских. Каким именно способом, Володя пока не решил, но это не к спеху, сперва нужно решить первые три задачи, а там видно будет. Куда ему торопиться? Не зря же говорят, что месть — это то блюдо, которое нужно подавать холодным.

Москва, март 2006 года

Они проговорили до утра, благо следующий после вечеринки день был выходным и на работу идти не нужно.

— Бедный мой, бедный, — Нана гладила Антона по голове и прижималась к его плечу, — маленький настрадавшийся мальчик. Что же нам теперь делать, Тоша?

— Наверное, ты меня уволишь, — он грустно усмехнулся. — Видишь, я сам подпилил сук, на котором сидел. Ты же не можешь держать в издательстве человека, который собирался свести счеты с хозяином и его семьей, правда?

— Правда. Не могу. А ты что, все еще собираешься сводить счеты с Филановскими? Ты ведь до сих пор этого не сделал. Что, возможности не было?

Антон резко выпрямился, сел на диване, отстранил Нану.

— Это сложно объяснить... У меня нет ответа.

А она так надеялась, что он скажет: я передумал, я понял, что это не нужно, бессмысленно, и никому от этого лучше не станет. Он скажет, что расстался со своим замыслом и больше никакого зла на Филановских не держит, и даже объяснит почему, и объяснения эти окажутся такими внятными и весомыми, что ей, Нане Ким, руководителю службы безопасности издательства, не останется ничего другого, кроме как безоговорочно поверить и успокоиться. И все останется как прежде.

Но Антон произнес совсем другие слова, и Нана не знала, что с этим делать. Уволить его? Или постараться переубедить без каких бы то ни было гарантий, что ее доводы будут иметь успех? Да и как переубедить? Да, братья Филановские ни в чем не виноваты, но Тамара Леонидовна сделала в свое время все, чтобы судьба Сергея Юрцевича, а значит, и его сына сложилась именно так, как она сложилась. Тамара виновата. И Любовь Григорьевна тоже. Она не

могла не понимать, что делает ее мать, и у нее
была возможность предупредить Юрцевича,
как-то защитить его, но она отстранилась, сделала вид, что ничего не знает и искренне верит
в то, что отец ее племянников — злостный во-
рюга и мошенник, чье место — на нарах. Или
она действительно не видела, не понимала? Теперь уж это не выяснить.

И есть письма, которые получила Любовь
Григорьевна. Антон клянется, что он их не писал. Если это правда, то нужно обязательно найти того, кто их присылает, и выяснить, что ему
нужно, потому что, если с теткой что-нибудь
случится, Саша не простит. А вдруг это все-таки
Антон? И когда выяснится, что она, Нана, взяла
на работу человека, который нанес удар в спину
Филановским, Саша тоже не простит.

— Надо искать автора писем, — жестко произнесла она. — Только это может спасти ситуацию. И дай бог, чтобы это оказался не ты.

— Ты мне не веришь? — печально спросил он.

— Антон, мне очень трудно, — Нана старалась не смотреть на него. — Мы с тобой любовники и близкие друзья, и я по определению
должна тебе верить. Но ты — человек, имеющий
мотив мести, и я в рамках своей профессио-
нальной деятельности не могу закрывать на это
глаза. Может, ты сам мне скажешь, как мне ко
всему этому относиться, что делать, как себя
вести? Если ты уверен, что знаешь, как правильно, — скажи.

— Ты меня с Большим Филом не спутала? —
улыбнулся Антон. — Это же он у нас всегда зна-

ет, как правильно и как должно быть. Хочешь, я приготовлю завтрак?

— Хочу, — кивнула Нана.

Хоть какая-то передышка. Антон уйдет на кухню, а она закроется в ванной, будет долго стоять под душем и думать, что теперь делать. Верить Антону или нет? Если трезво рассудить, то кому, кроме сына Сергея Юрцевича, могло прийти в голову шантажировать Любовь Филановскую? Чем ее вообще можно шантажировать, кроме той истории? Ничем. Значит, письма пишет тот, кому об этом известно. Сергей Юрцевич умер. Остается только его сын. Впрочем, есть еще человек из КГБ, к которому обращалась за помощью Тамара Леонидовна. Любовь Григорьевна его имени не называла и вряд ли она знает: не стала бы Тамара это обсуждать с дочерью напрямую, да еще и конкретные имена называть. Или стала бы? Ох, как мало она знает о Сашиных бабушке и тетке! Ну ладно, предположим, можно под любым предлогом подкатиться к старой актрисе и окольными путями выведать имя. Допустим, она его назовет. Или назовет имя любого другого бывшего сотрудника КГБ, с которым была в свое время лично и хорошо знакома, а уж у него можно будет узнать, с кем еще контактировали народная артистка и ее заслуженный муж-режиссер. Короче, приложив изрядные усилия, можно этого комитетчика найти. И что дальше? Зачем ему шантажировать Любовь Григорьевну? Он должен быть ровесником Тамары или даже старше, то есть ему под девяносто. Ну какой шантаж, господи помилуй! Смешно... Конечно, у него могут быть дети и взрослые внуки, прослышавшие о процветании издательства «Новое знание» и решившие погреть на этом руки, но для такого сценария необходимо, по меньшей мере, чтобы им об истории Филановских кто-то рассказал. Кто бы это мог быть? Папа-дедушка? Еще смешнее. Никогда комитетчики, будь они хоть трижды бывшие и десять раз пенсионеры, своим родным о таких вещах не расскажут. Тогда кто? Кто-нибудь из подручных, кому он давал соответствующее задание касательно Юрцевича. Не сам же он оба раза документы о финансовых нарушениях составлял. Нет, с подручными тоже не получается, они могут помнить, как стряпали уголовные дела на Сергея Юрцевича, но не могут знать, что в этом замешаны были интересы семьи режиссера Филановского. Они просто «оформляли» диссидента в профилактических целях, пока он не стал по-настоящему опасным.

Выходит, кроме Антона — никаких кандидатур. Нет, надо все-таки попытаться разыскать человека, к которому Тамара Леонидовна обращалась за помощью, надо довести эту линию до конца. А вдруг он уже умер? Возраст-то солидный... Детей прощупать, если они есть, внуков. Надо что-то делать, идти вперед, надо предпринять все усилия для того, чтобы выяснить правду, какой бы она ни была, и надеяться, что это все-таки не Антон. Одним словом, вышла на лед — катай программу до конца, даже если пять раз упала, сорвала все элементы, и невыносимо болят ушибленные колени и локти, и растянута мышца, и уже понятно, что никакого места выше последнего ей не видать даже в том случае, если она отлично выполнит все оставшиеся прыжки и вращения. Не останавливаться на полдороге, не отчаиваться, не опускать руки и идти, то есть кататься, до конца — вот одна из главных заповедей спортсменов-фигуристов.

Нана выключила воду, вылезла из ванны на голубой непромокаемый коврик и потянулась за полотенцем. Успела только вытереть руки и грудь, как раздался стук в дверь.

— Нана, у тебя мобильник надрывается.

Боже мой, что-то с Никитой! Зачем еще кто-то станет звонить в шесть утра в праздничный день? Конечно, с ребенком что-то случилось на сборах! Заболел? Получил травму? Нана рванулась к двери, поскользнулась влажными ступнями на кафельном полу, с трудом удержала равновесие, с силой дернула ручку и чуть не сшибла с ног Антона, стоящего в коридоре с ее мобильником в руках.

— Да! — задыхаясь, выпалила она в трубку.

— Нана Константиновна? — устало поинтересовался незнакомый мужской голос.

— Да, я. Что случилось?

— Старший лейтенант Баринов, уголовный розыск. У нас тут проблема. И у вас тоже.

— Да что случилось?! — она уже почти кричала.

— Андрей Владимирович Филановский вам знаком?

Боже мой, какое счастье, это не с Никитосом... Все остальное значения не имеет, лишь бы с ее мальчиком все было в порядке.

— Да, конечно, — ответила она уже спокойнее. — Что с ним?

— А его сожительница Екатерина Шевченко?

— Да, я ее знаю. Вы можете объяснить, в чем дело?

— Вам придется подъехать на работу, желательно прямо сейчас.

— На какую работу? — не поняла Нана. — К вам? Куда? Говорите адрес.

— На вашу работу, — медленно, словно разговаривая с тупицей, пояснил старший лейтенант Баринов. — Я нахожусь у вас в издательстве, ваш телефон мне дал старший по смене охраны. Дело в том, Нана Константиновна, что Екатерина Шевченко убита. Прямо в подъезде дома, где проживает брат вашего директора. Так что придется вам приехать, и чем скорее — тем лучше.

Она стояла посреди коридора, частично мокрая и совершенно голая, и не замечала, что ее трясет. Сашка допрыгался... Все его слова о том, что он не позволит женщине встать между ним и братом, ничего не стоят, потому что мертвая женщина теперь будет стоять между ними всегда. Кто-то из них двоих ее убил. Кто? Саша? Или Андрей?

Приготовленный Антоном завтрак они все равно съели: неизвестно, как день сложится, силы будут нужны, а десять-пятнадцать минут уже никого не спасут и потому никакой роли не играют. Кроме того, они поедут каждый на своей машине, и другой возможности поговорить до того, как они окажутся лицом к лицу с работниками милиции, у них уже не будет.

— Знаешь, — задумчиво проговорила Нана, обуваясь в прихожей, — если бы кто-то захотел напакостить братьям Филановским, то лучшего способа было бы не найти. Они оба окажутся под подозрением, если следствию станет известно о деликатной ситуации между Катериной и Сашей. И приятных ощущений большим ковшом нахлебаются. Хорошо, что ты всю ночь был со мной.

Антон посмотрел на нее внимательно и, как ей показалось, даже осуждающе.

— Неужели ты думаешь, что я на такое способен?

Она подумала немного, улыбнулась и ответила его же словами:

— Мне сложно об этом говорить... У меня нет ответа.

Застегнула меховой жакет, взяла ключи и добавила:

— Пока нет. Поехали.

* * *

Они уже почти подъехали к издательству, когда Нана услышала звонок мобильного. «Наверное, Саша, — подумала она, — ему уже позвонили. Или Антон, хочет что-то согласовать». Но это оказался Борис Родюков, владелец охранного агентства «Цезарь».

— Нана, тут мне ребята позвонили... ну, которые сегодня в издательстве дежурят...

— Да, — коротко откликнулась она. — Я уже в курсе, еду туда.

— Я не об этом... Слушай, тут такое дело... В общем, я не стал вчера волну поднимать...

— Борь, ну что ты мямлишь, ей-богу, — рассердилась Нана. — Давай быстрее говори, что надо, я уже почти приехала.

— Вчера у дневной смены оружие пропало, — выпалил Родюков. — А опер, который в издательстве сейчас сидит, сказал моим бойцам, что девицу застрелили. Вот.

— Твою мать, — выдохнула она и, свернув к бровке тротуара, резко затормозила.

До поворота к парковке перед издательством оставалось проехать ровно один дом. Быстро глянула в зеркало заднего обзора и с облегчением увидела, что машина Антона тоже остановилась.

— Какое оружие? — спросила Нана.

— Пистолет «ИЖ-71».

— Почему никто не доложил?! — заорала она в трубку. — Почему я об этом только сейчас узнаю?! Бардак!

— Ну, Нана... Ну ты чего, сама не понимаешь? Думали своими силами разобраться, а тут такое... Вот я и позвонил...

Козел, подумала Нана со злостью, нет, оба козлы, что Родюков этот беспомощный, что Сашка, который его тянет на собственном горбу. Доигрались. Мужская дружба, взаимопомощь, красивые слова. Сколько раз ей докладывали, да она и своими глазами видела, как безалаберно относятся к оружию парни из «Цезаря», оставля-

ют в незапертом помещении у всех на виду, и
сколько раз она скандалила с Родюковым из-за
этого, и столько же раз он клятвенно обещал ук-
репить дисциплину и усилить инструктаж, но
ничего не делал, и все продолжалось по-прежнему, а Филановский ни в какую не хотел менять
агентство и уговаривал Нану не беспокоиться.

— Да пошел ты, — бросила она Родюкову. —
Сам будешь с милицией разбираться, покрывать
тебя никто не станет. Если окажется, что Катерину застрелили не из твоего «семьдесят первого», считай, что тебе крупно повезло.

Открылась передняя дверь, Антон заглянул в
машину.

— Что случилось?

— Сядь, Тоша, — она похлопала рукой по
пассажирскому сиденью, — надо кое-что обсу-
дить.

Услышав про похищенный пистолет, Тодоров изменился в лице.

— Черт... Если Катю застрелили из него, значит, это кто-то из наших, из издательских.

— Нет, — поправила его Нана, — из тех, кто, в
принципе, бывает в издательстве. Значит, и Андрей тоже. В комнату охраны мог войти кто угодно. Вот идиоты! Неужели даже теперь Сашка будет упираться по поводу «Цезаря»? И главное, я
ведь только вчера ему еще раз говорила о том,
что надо менять агентство, а он все Родюкова
своего защищает. Помочь ему, видите ли, хочет.
Допомогался. Ладно, давай быстро решать, как
будем держаться. Своих сдаем или как?

За завтраком они говорили только о том, какие показания давать об отношениях внутри треугольника «Андрей — Катерина — Александр», теперь же, когда выяснилось, что накануне пропал пистолет, Нане пришло в голову, что убийцей мог быть кто-то еще, помимо братьев Филановских. Собственно, эта мысль зародилась в ней даже раньше, еще в тот момент, когда они с Антоном выходили из квартиры. Может быть, преступник хотел убить именно Катю, а может быть, просто хотел устроить крупные неприятности директору издательства и его брату, и на месте Катерины мог бы, в принципе, оказаться любой человек, так или иначе связывающий Александра и Андрея. Как хорошо, что Антон всю ночь провел в ее квартире! Хотя бы его можно не подозревать.

— Нана, у меня в этом издательстве «своих» нет, — спокойно ответил Тодоров. — Они мне все одинаково чужие. И потом, я все-таки в розыске работал, и для меня вопрос раскрытия убийства по-прежнему важнее личного спокойствия директора. Тем более что директора я не люблю, и ты об этом прекрасно знаешь теперь. Так что для меня проблемы нет. Что знаю — расскажу, а уж ты можешь относиться к этому, как тебе угодно.

«Обиделся, — подумала Нана, — обиделся на мои слова, которые я сказала еще дома, перед выходом». Но, по большому счету, он прав, если Сашка и Андрюша к убийству не причастны, надо сделать все, чтобы как можно быстрее это установить. Стало быть, придется сдавать всех. И Степу Горшкова, который не далее как два дня назад высказывал идеи о том, что Филановского надо остановить. Каким способом остановить? А почему бы и не таким? И Станислава Янкевича, который так ненавидит Сашу, что даже не может этого скрыть, о его ненависти уже все издательство судачит. И новенькую из рекламной службы, Марину Савицкую, брошенную Сашей любовницу. Какими глазами она смотрела на Филановского на вечеринке! Как будто у нее в каждом зрачке по ружейному дулу, честное слово. Нане донесли, что видели Марину рыдающей, значит, там не все так благостно и безоблачно, как бывало у Саши с другими его пассиями. А Лена, Сашина жена? Она видела, как Катерина прижимается к ее мужу, вполне возможно, она и про Марину что-то знает. Терпела, терпела столько лет — и терпелка кончилась. Вообще-то на Елену это не похоже, характер не тот, но кто знает... А может быть, Катю застрелили компьютерные мальчики, которым недвусмысленно дали понять, что об их вороватых замашках уже известно и будет доложено директору, вот они и решили провести отвлекающий маневр, чтобы у Филановского голова о другом болела, тогда он об их дорогостоящих шалостях и не вспомнит. Сомнительно, конечно, но чего в жизни не бывает. Все, что известно ей, Нане, известно и Антону, у нее нет от него секретов, они — близкие люди, вот пусть он все это и рассказывает оперативникам и следователю.

— Хорошо, — кивнула она, словно соглашаясь с собственными мыслями, — расскажи им все, что знаешь. Я их сразу на тебя переключу, ты в раскрытии преступлений лучше разбираешься, а сама буду за пистолет отдуваться и за родюковских придурков.

Через две минуты они припарковали свои машины перед зданием издательства «Новое знание» и вошли внутрь. В стеклянной будке рядом с турникетами сидели двое: старший смены охранников и незнакомый молодой мужчина, который, увидев Антона, радостно взмахнул рукой:

— Здорово, Тодор! А я в списке сотрудников твою фамилию увидел и все думаю, ты или не ты.

— Я, как видишь, — приветливо улыбнулся Антон. — Надо же, как судьба свела! Нана Константиновна, познакомьтесь, Олег Баринов, мы с ним в одном отделе работали, правда, недолго, он только-только пришел к нам, а я уже к увольнению готовился. Но пару-тройку разбоев мы с ним на пару раскрыли.

И как-то словно само собой получилось, что разговаривал старший лейтенант Баринов в основном с Антоном, а Нана только присутствовала, внимательно слушала и изредка отвечала на те вопросы, ответить на которые Тодоров не мог. Например, о том, почему директор издательства Александр Филановский так упорно не хотел менять охранное агентство, несмотря на многочисленные докладные руководителя службы безопасности. Уж не потому ли, что знал: при необходимости у разгильдяев из «Цезаря» всегда можно, улучив момент, спереть оружие, и никто потом не докажет, кто именно его взял?

Вопрос Нане не понравился, но в глубине

души она вынуждена была признаться себе: не может она дать голову на отсечение, что Саша Филановский — не убийца. Да, она знает его много лет, и знает как человека доброго, широкого, щедрого, умеющего прощать даже такое, чего другой бы и не простил никогда, любящего жизнь и людей. Но кто сказал, что такой человек не может взять в руки оружие и выстрелить в другого человека? Сашка — собственник, она сама говорила об этом Антону сегодня ночью, и за свою собственность он горло готов перерезать любому. А брата Андрюшу он воспринимает именно как свою собственность.

Впрочем, пока еще не доказано, что Катерину застрелили именно из того «ИЖа», который был на вооружении у сотрудников «Цезаря» и пропал накануне. Может быть, оружие было совсем другое. Пистолет наверняка отстрелян, образцы выпущенных из него гильз и пуль должны быть в пулегильзотеке, так что установить истину несложно. Вот пусть сначала ее установят, а потом будем разговаривать.

И все-таки, мог Саша убить или нет? А Андрей, задумчивый философ, которого мало что может вывести из себя? А Степан Горшков? Стас Янкевич? Елена Филановская? Марина Савицкая? Сколько подозреваемых...

* * *

— Слушай, ну и серпентарий это ваше издательство, — заметил Баринов, еще раз окидывая взглядом список, составленный со слов Антона Тодорова. — Как же вы тут живете, когда одна половина сотрудников ненавидит другую? И из каждой половины еще по половине ненавидит шефа.

— Да вот так и живем, — усмехнулся Тодоров, — в любви и согласии.

Они сидели в небольшой комнате, которую в рабочее время Тодоров делил с двумя другими сотрудниками службы безопасности издательства «Новое знание».

— Вот я и вижу, — хмыкнул Баринов. — А главный ваш куда смотрит? Или ему по барабану? Вы же как на пороховой бочке сидите, в любой момент может рвануть. Он что, не понимает?

Антон неопределенно пожал плечами. Что он может сказать? Откуда ему знать, какие мысли бродят в голове у его единокровного брата Александра? Знает ли он о том, какая атмосфера царит в издательстве? Говорит ли ему кто-нибудь об этом? Или он живет в придуманном им самим мире всеобщей любви и даже не подозревает, к каким последствиям приводит эта выдуманная любовь?

* * *

Сразу после смерти отца он сменил имя и фамилию и, став Антоном Тодоровым, еще год прослужил в МВД, в 2001 году уволился и нашел работу в службе безопасности серьезной фирмы, нарабатывал опыт, обрастал связями и искал подходы к издательству. Антону хотелось побольше узнать о Филановских, прежде чем начинать разрабатывать план мести, которой он был одержим уже много лет. Узнав, в каком месте Александр Филановский построил загородный дом, Антон частенько наведывался туда, бродил неподалеку, смотрел, наблюдал. Однажды заметил, как на лужайке перед домом работают человек десять флористов, украшая узорами из листьев и цветов фасад, служебные постройки и беседки, и понял: готовится прием. Скорее всего, в ближайшую пятницу или субботу. И не ошибся.

Праздновали десятилетие издательства «Новое знание». Антон занял заранее выбранную позицию в ближайшем лесочке, откуда при помощи бинокля можно было отлично разглядеть гостей. Да и слышно было неплохо, ораторы пользовались микрофонами, а взрывы смеха и восторженные крики разносились далеко за пределы огороженного красивой кованой решеткой участка. В тот день Антон впервые увидел всю семью в сборе: Тамару Леонидовну, Любовь Григорьевну, Александра с женой Еленой и маленьким сыном, Андрея с подругой. Старая актриса царственно восседала в кресле, установленном в центре лужайки, и ни на минуту не оставалась без внимания. Когда Александр взял в руки микрофон, Тодоров услышал трогательный рассказ о том, как много сделали для него бабушка и тетушка, как воспитывали их с братом, вкладывали в их детские непутевые головки «разумное, доброе и вечное», и только благодаря их самоотверженным усилиям из мальчиков получился какой-то толк. Так что если сегодня издательство процветает и даже празднует десятилетие своего существования, а его сотрудники стабильно получают хорошую зарплату, то это заслуга в первую очередь «нашей Тамарочки и нашей Любочки», и все должны это понимать и быть благодарны им за их многолетний труд. Судя по аплодисментам, все были благодарны.

Глядя на то, как трогательно братья Филановские относятся к бабушке и тетке, как заботливо подносят им самые сладкие куски, как следят за тем, чтобы им было удобно, Антон с горечью вспоминал свою жизнь с отцом. Он тоже пытался заботиться о папе, даже готовить научился, чтобы накормить вернувшегося с работы отца повкуснее, стирал его рубашки и брюки — словом, делал все, чтобы хоть раз поймать его благодарную улыбку и услышать короткое: «Спасибо, сынок, что бы я без тебя делал!» Но так ни разу и не услышал. Отец принимал его заботу как должное, а возможно, и не замечал вовсе. Он думал о своих мальчиках и любимой Наденьке и мог не обратить внимания на то, что рубашка еще вчера была грязной, а сегодня она уже чистая и наглаженная. Как будто так и надо. Самое главное — это семья, а семья — это взаимная любовь и взаимная забота, так мама учила. Даже поездки в Москву, на улицу Горького, Антон со временем начал воспринимать как проявление заботы об отце, помощи ему, и это помогало справиться с болью и унижением. Он нужен папе хотя бы для этого. Все-таки нужен. А ему так хотелось быть нужным, ему так хотелось, чтобы его забота находила хоть какой-то отклик.

Когда слово предоставили Тамаре Леонидовне, она хорошо сохранившимся голосом, демонстрируя прекрасную дикцию, пространно говорила о том, какие замечательные у нее внуки, какие талантливые, каждый — по-своему, как она ими гордится и как счастлива, что жизнь подарила ей этих чудесных мальчиков, а они, в свою очередь, подарили ей старость, наполненную любовью, заботой и вниманием.

Антон слышал и чувствовал, как внутри его закипает новая волна ненависти. Эти чудесные мальчики разрушили его собственную жизнь и жизнь его родителей, и в этом виноваты Тамара Леонидовна и ее дочь Люба, которые отказались отдать мальчиков законному отцу, лишили его сыновей, а Антона — братьев. Вся эта семейка принесла его семье только одни несчастья, унижения и горечь.

Он ждал, когда слово возьмет Любовь Григорьевна. Антон неоднократно видел ее вместе с Сашей и Андреем на улице, но никогда не слышал ее голоса, не считая того единственного случая много лет назад, когда с ней разговаривала мама. Но детали того эпизода давно стерлись из памяти, осталась только суть: мама о чем-то просила, а потом в ответ на резкие слова незнакомой женщины начала кричать. К Любови Григорьевне Антон испытывал интерес особый, болезненный: отец не скрывал, что готов был развестись с мамой и жениться на ней, чтобы быть рядом с сыновьями. Неужели ради этой женщины папа готов был бросить их с мамой? Может быть, она и в самом деле особенная, необыкновенная?

По прикидкам Антона, ей было уже шестьдесят, выглядела она для своего возраста превосходно, стройная, худощавая, элегантно одетая, подстриженная явно у дорогого парикмахера, в модных очках. Интересно, что она скажет о своих племянниках?

Но Любовь Григорьевна ничего не сказала, она даже к микрофону не подошла.

В тот день Антон впервые заподозрил неладное.

И в тот же день он впервые увидел Нану Ким. Сначала просто обратил внимание на необычную внешность женщины, на ее яркие раскосые глаза, крупный нос с горбинкой, красиво изогнутые губы, а также на то, как странно она одета для корпоративного праздника, не нарядно, а в строгий темно-серый деловой костюм с юбкой средней, чуть за колено, длины. И это в разгар лета, при тридцатиградусной жаре, когда все остальные гостьи щеголяют обнаженными плечами, открытыми спинами и глубокими декольте! В отличие от веселящихся гостей, она была серьезной, сосредоточенной и, как показалось Антону, немного грустной. Спустя некоторое время он обратил внимание, что она не стоит в общей толпе с тарелкой или бокалом в руке, а все время ходит то вокруг дома, то к воротам, разговаривает с водителями припаркованных вдоль изгороди машин и большого автобуса, в котором приехала основная масса присутствующих. Антон понял, что она здесь не празднует, а работает.

До окончания мероприятия он наблюдал только за ней. И еще несколько дней не мог выкинуть ее из головы. Чем-то эта строгая женщина с раскосыми глазами задела его...

Примерно через две недели он понял, что должен найти ее и познакомиться, иначе покоя ему не будет. Понятно, что она работает в издательстве у Филановского, и разыскать ее и подстроить случайное знакомство никакого труда не составит. Но случайного знакомства ему не хотелось, потому что потом будет очень трудно объяснять, как это он так «случайно» стал сотрудником того же издательства, а ведь именно это было одним из этапов его плана. Антон решил действовать напрямую.

По своим каналам достал список топ-менеджеров издательства (своего сайта в Интернете у «Нового знания» на тот момент еще не было) и, к немалому изумлению, обнаружил, что руководитель службы безопасности носит имя Наны Константиновны Ким. Ну конечно, разве могло быть иначе? Женщина с такой внешностью может иметь только такое имя и никакого другого. Нана Ким.

Конечно, для такого прорыва было рановато, Антон планировал побольше узнать об издательстве и семье его владельца и только после этого искать ходы, чтобы устроиться туда на работу, но сейчас вдруг понял, что больше не может ждать. Он должен как можно скорее увидеть Нану, узнать, что она замужем и счастлива и никаких приключений на свою голову не ищет, попереживать и успокоиться наконец.

Он поднял все свои знакомства, и уже через месяц его вывели на Степана Горшкова, работавшего в отделе кадров издательства. Степан принял Тодорова радушно, подробно расспросил об образовании и послужном списке и очень воодушевился, услышав, что Антон всего год назад уволился из милиции.

— Всего год? — переспросил он. — Значит, связи остались?

— Ну конечно.

— Это хорошо. Погоди-ка.

Он снял трубку и набрал короткий внутренний номер.

— Нана Константиновна, — при этом имени Антон почувствовал, как внутри стал разрастаться обжигающе горячий комок, — вы говорили, вам нужен человек со связями в МВД и с опытом оперативной работы. Нашли уже? Нет пока? Могу предложить кандидата. Ага. Когда? А сегодня? Добро. Завтра в три. Ну вот, — Степан весело посмотрел на Антона, — на ловца и зверь, как говорится. Нам в службу безопасности нужен такой человек, как ты. Завтра к трем приходи, я тебя отведу на собеседование. Если Нане понравишься — считай, дело в шляпе.

— Нане? — Антон прикинулся непонимающим.

— Нана Константиновна Ким у нас возглавляет службу безопасности. Дожили, да? Баба на такой должности! Ну, у нашего босса свои причуды.

— А потом еще к директору, наверное, надо будет идти?

— Еще чего, — рассмеялся Горшков. — Если Нана тебя захочет взять — босс приказ подпишет не глядя, он ей доверяет. Они сто лет знакомы.

У Антона защемило сердце. Горшков произнес это каким-то таким тоном... ну, особенным каким-то, словно хотел дать понять: Нана Ким — любовница директора и лицо, приближенное к императору. Сто лет знакомы... Значит, они давние любовники.

Может, не ходить завтра на это собеседование? Оградить себя от очередного унижения и разочарования. Мало того, что он Нане не понравится, так еще и выяснится, что у него как у мужчины нет ни малейшего шанса. Счастливая семья, начальник — любовник, зачем женщине в этой ситуации какой-то Антон Тодоров?

Но он все-таки пришел. У Наны Ким было все то же серьезное лицо, и одета она была все в тот же строгий костюм. Ничего похожего на радушие, которое Антон встретил у Горшкова. Сухой тон, короткие, но очень точные вопросы.

— Вакансия у меня откроется дней через десять-пятнадцать, — сказала она, выслушав и записав в блокнот ответы Антона. — Если вы хотите здесь работать, вам нужно будет иметь в виду две вещи. Первое: мне нужны рекомендации, как минимум две, так что подумайте, кто может вам их дать. Второе: мне нужен человек, который наряду с прочими обязанностями будет выполнять ряд деликатных поручений. Наши авторы — люди творческие, мышление у них нестандартное, соответственно, они регулярно попадают в нестандартные ситуации, из которых их приходится вытаскивать. Кроме того, в нашем издательстве принято проявлять заботу о сотрудниках, которые, как вы понимаете, тоже могут нуждаться в помощи. Это же касается и членов семей как авторов, так и сотрудников. Если вы готовы этим заниматься и сможете представить рекомендации, я буду рада видеть вас в своей службе.

— Я могу подумать?

— Безусловно. Когда примете решение — позвоните мне, чтобы я знала, нужно ли мне искать другого кандидата.

Она протянула Антону визитную карточку с номерами телефонов.

Единственное, что Тодоров успел понять в ту первую встречу, — она не носит обручальное кольцо. Но это ни о чем не говорит. Отсутствие кольца не означает отсутствия мужа.

Он честно выждал неделю, буквально хлопая себя по рукам, чтобы не схватить трубку и не позвонить ей на мобильный вечером, когда она точно не на работе. Позвонил в издательство, как положено, через секретаря и сказал, что согласен и рекомендации готов представить.

Антон долго ухаживал за Наной, терпеливо пробивая толстую стену сдержанности и служебного этикета. Сплетников в «Новом знании» было хоть отбавляй, и довольно скоро ему стало известно, что Нана Ким давно разведена и живет вдвоем с сыном, о наличии у нее сердечного друга никаких сведений не поступало. Хотя все может быть, Нана, как сказали Антону, баба скрытная и ни с кем в издательстве тесной дружбы не водит.

Ему понадобилось чуть больше года, чтобы сломить ее холодность и отчужденность. Он безоговорочно принял ее требование не демонстрировать на работе их близкие отношения, честно соблюдал все придуманные ею правила поведения и конспирации и был счастлив, потому что любил Нану Ким.

Наблюдая за директором издательства и его семьей, Антон Тодоров не вел никаких досье, не собирал компромат, он просто присматривался, подпитывая свою ненависть и жажду мести подмечаемыми деталями, и выжидал. Придет момент — придет и идея, думал он. Всему свое время.

Особенно пристально интересовался он Любовью Григорьевной, не забыв тот тихий звоночек, который прозвенел в его сознании, когда он, прячась в лесочке, наблюдал за торжеством в загородном доме Филановского. Что-то с ней неладно, что-то не так, не вписывается она в ту идиллическую картину, которая выставлена на всеобщее обозрение. Неужели отец всерьез собирался променять маму на эту женщину? Какой она была тридцать лет назад? Красивой? Улыбчивой? Доброй? Или такой же, как сейчас: холодной, жесткой, с ухоженным, но некрасивым лицом, на котором Антону ни разу не довелось увидеть даже подобие улыбки?

В рамках изучения семьи Антон решил посетить семинар Андрея Филановского, купил абонемент на четыре занятия, первое пропустил — было много работы, пришел сразу на второе. Свои лекции Андрей читал по вечерам в обычном школьном классе: директор с удовольствием и недорого сдавал помещения в аренду на вечернее время, когда нет уроков. Народу пришло немного, всего тридцать шесть человек — ровно столько, сколько может поместиться за восемнадцатью двухместными партами.

— Я предлагаю вам проделать очень простое упражнение, — начал Андрей, расхаживая между рядами и раздавая чистые листы бумаги. — Только я прошу вас быть предельно честными с собой. Никто не будет зачитывать вслух то, что написал, свои записи вы заберете с собой, и никто их не увидит, но это упражнение необходимо, чтобы мы могли продвигаться дальше. Запишите, чего вам сегодня хочется больше всего на свете. Потом задайте себе вопрос: а зачем? Для чего мне это нужно? Запишите ответ. И снова спросите себя: зачем? И так до логического конца. Не останавливайтесь на полдороге, не обманывайтесь тем, что ответ кажется вам очевидным и окончательным, снова спросите себя: зачем? Я приведу пример, чтобы было понятно. Девушка хочет любым способом улучшить свою внешность. Такое желание многим из нас кажется совершенно естественным и ни в каких объяснениях не нуждается. Спрашиваем: зачем? Ответ: чтобы нравиться мужчинам. Зачем? Чтобы было много поклонников. Зачем? Чтобы из них выбрать себе самого подходящего мужа. Какого именно? Богатого и красивого. Зачем?

Чтобы не противно было с ним спать и чтобы ни в чем не нуждаться, иметь возможность не работать и покупать красивые вещи, жить в красивом доме и кататься на дорогом автомобиле. И снова кажется, что это и есть логический конец, ведь это так естественно: стремиться ко всему перечисленному. Но мы не останавливаемся и продолжаем: зачем? Зачем не работать и иметь все это? Чтобы... Ну? Чтобы — что? И вот тут наступает момент, когда вам потребуется ваша честность, вся ваша сила духа, потому что с этого момента ответы начинаются самые неприятные. Спросите себя, какая разница, в красивом доме вы живете или в обыкновенной стандартной квартирке. Какая разница, на каком автомобиле ездить? Какая вообще разница, на машине ездить или на метро? Какая разница, сколько стоит платье, которое на вас надето, десять тысяч долларов или тысячу рублей? А ведь разница есть, и лежит она глубоко в вашем подсознании, и нужно вытащить оттуда честный ответ. Например: девушке на самом деле хочется, чтобы ею восхищались и чтобы ей завидовали подруги. Зачем? Почему ей этого хочется? Может быть, она чувствует себя обделенной вниманием? Быть может, ей не хватает любви, дружеского сопереживания? Ее отвергли подруги или мужчины, и теперь она стремится доказать, что она лучше их, потому что вошла в круг избранных и ведет красивую жизнь? Или она таким способом пытается доказать всему миру и себе самой в первую очередь, что она не хуже других, что может завоевать определенный статус. Вариантов множество. При этом она забывает, что достигает всего этого не благодаря собственным заслугам, таланту, упорному труду, а исключительно за счет того, кто платит деньги. Идем дальше. Я хочу красивой жизни, заявляет такая девушка. Зачем? Для чего? Чтобы получать удовольствие от жизни, чтобы было легко и приятно. Для чего? Зачем это нужно? Какая разница, получаешь ты удовольствие от жизни или нет, легко тебе или трудно? И еще один замечательный вопрос: почему такая жизнь обязательно приносит удовольствие? Что есть в этой девушке, в ее душе, в ее сознании такого, что заставляет ее испытывать удовольствие от дорогой одежды, дорогих украшений и дорогих машин? Почему для нее имеет значение, где и как праздновать свой день рождения, на средиземноморской яхте в окружении миллионеров или в скромном кафе с несколькими друзьями? На все есть причина, и эта причина внутри нас. Найдите ее. Идите до логического конца. Думаю, в пятнадцать минут вы вполне уложитесь. Я подожду.

Антон растерянно посмотрел на лежащий перед ним чистый лист бумаги и твердо решил ничего не писать, но упражнение показалось ему любопытным, и он стал проделывать его в уме. Он хочет разрушить счастье, царящее в семье Филановских. Зачем? Ответ очевиден: чтобы отомстить за маму, отца и свою искореженную жизнь. Зачем? Что изменится, если в семье Филановских наступит разлад? Мама воскреснет? Отец вернется с того света? Нет. Тогда зачем? Чтобы испытать моральное удовлетворение. Мне и моей семье столько лет было плохо по вашей вине, так пусть теперь будет плохо вам. А зачем испытывать моральное удовлетворение? Для чего оно нужно? Для того, чтобы доказать самому себе, что я не тряпка и не ничтожество и не позволю другим безнаказанно топтать мою жизнь. А зачем мне нужно чувствовать, что я не тряпка? Это что, у меня такое больное место? Да, я двадцать лет живу с ощущением, что я никому не нужен, потому что я недостаточно хорош, даже отец меня не любил, даже ему я не был нужен, но я молча это глотал, я терпел унижение и обиду, когда он открыто демонстрировал свою любовь к другим сыновьям и полное равнодушие ко мне. Я вел себя как тряпка и ничтожество, и теперь я хочу реабилитации. Нет, не так... Где-то вкралась ошибка. Я позволял отцу относиться ко мне как к ничтожеству, вот он так и относился. А почему я ему это позволял? Потому что я хотел, чтобы мы были вместе, чтобы мы были семьей, и ради этого терпел, я хотел заботиться о нем, а он даже не замечал моей заботы, но я все равно терпел. Я очень его любил, я до самой его смерти так и не расстался до конца с мечтой, которую выпестовал, живя в интернате. И потом, он был не вполне адекватен, и это еще мягко сказано... Получается, вся моя боль — это разочарование от несбывшейся мечты. Но мечта появилась уже после того, как отца посадили во второй раз, и после того, как мама снова ходила к Филановским просить, чтобы ей отдали детей. Мечта появилась после маминой смерти. И к тому, что она так и не сбылась, Филановские никакого отношения не имеют. Она не сбылась исключительно потому, что отец был таким, каким был. Вернее, каким стал после второй отсидки. Получается, Филановские должны расплатиться за то, что папа был таким, каким был, и за то, что я такой, какой я есть. Это ведь я сам придумал себе мечту, они мне ее не навязывали, и это я сам терпел и сносил унижения, по собственной воле, это было мое решение, Филановские меня не заставляли. Черт, совсем запутался!

— Время истекло, — прервал его размышления голос Андрея, — даже если вы не успели доделать упражнение до конца, общую идею вы поняли. Если вам интересно, вы можете сделать его после занятий, дома или в дороге. Уверен, что многие из вас за эти пятнадцать минут успели усомниться в том, что их стремления имеют смысл. И это правильно. Если как следует вдуматься, огромное количество того, к чему мы привыкли стремиться, чего привыкли добиваться, на самом деле бессмысленно. Нет никакой разницы, добьемся мы этого или нет. Человек хочет прославиться. Зачем? Он кладет на это многие годы, все свои силы, жертвует отношениями с людьми во имя того дела, которое при успешном завершении сделает его известным. Зачем? Чтобы получить подтверждение тому, что он — замечательный? Или ему не хватает внимания? Ну, получит он такое подтверждение, и что дальше? Дальше, дальше, не останавливаясь, идите до самого конца, и вы приблизитесь к тому временному моменту, когда к человеку приходит смерть. В момент встречи со смертью будет иметь значение, прославился он или прожил в безвестности? Не ждите от меня ответа, отвечайте себе сами. Может быть, известность — панацея, лекарство от смерти? Нет, она забирает всех и исключений ни для кого не делает. Может быть, смерть известного человека гарантированно легкая, безболезненная? Тоже нет. Пьяный бомж может легко умереть во сне и ничего не почувствовать, а прославленный актер будет умирать долго и мучительно, с нестерпимыми болями или после многих лет паралича. Может быть, человек хочет, чтобы о нем помнили после его смерти, и старается создать что-нибудь бессмертное? Возможно. Но какая разница, будут о нем помнить только близкие в течение десятка лет или все человечество в течение трех веков? Какая ему разница, если его все равно не будет?

Мои рассуждения могут показаться вам абсурдными, и в известном смысле так оно и есть. Я намеренно утрирую некоторые вещи, но делаю это с единственной целью. Я хочу, чтобы вы задали сами себе вопрос: а что вообще имеет смысл в этой жизни? Если не богатство, не удовольствия, не слава, не легкость и приятность бытия, тогда что? Для чего мы живем, для чего приходим в этот мир? Только лишь для того, чтобы через какое-то время уйти? Тогда действительно ничто не имеет ни смысла, ни значения. В том числе получается, что никакого смысла нет в техническом прогрессе, в научных разработках и открытиях, в медицине и здравоохранении, потому что нет никакой разницы, сколько человек проживет и умрет ли он здоровым или глубоко больным. А коль в прогрессе нет смысла, то нам нужно снова жить в пещерах, охотиться на диких животных, жарить мясо на костре и довольствоваться высокой детской смертностью и продолжительностью жизни в двадцать пять лет. Мы довели мысль до логического конца и получили нечто совершенно невообразимое.

Значит, надо искать причину, значение, смысл. Этим на протяжении многих веков занимаются философы. Я не философ и не мыслитель, я — обыкновенный человек, пытающийся придумать некоторую систему аргументов, при которой окружающий меня мир перестанет казаться мне враждебным и несущим угрозу для моего благополучия. И вот я придумал такую теорию. Многие из вас с ней не согласятся и сочтут совершенно бредовой. Что ж, вы имеете на это право. Но я просто делюсь с вами своим опытом, и если кому-то мой опыт поможет обрести душевное равновесие и то, что я называю чувством льда, о котором мы говорили с вами на вводном занятии, то я буду искренне рад.

Итак. Дети приходят в этот мир. Вспомните, какими вы были в младенчестве, вспомните, что вам рассказывали о вас ваши родители, подумайте о своих собственных детях. Какие они? И какими были вы сами? Вспомнили? Жадные, капризные, ревнивые, завистливые, уверенные, что весь мир существует только для их радости, что родители обязаны выполнять любое ваше желание, гневливые, то есть готовые орать, плакать и стучать ножками при малейшем неудовольствии. Не терпящие, когда внимание родителей направлено не на него самого, а на кого-то другого, в том числе и на другого ребенка. Ни за что не отдающие никому свою любимую игрушку даже ненадолго. Они безудержно стремятся к любым удовольствиям и не терпят ничего неприятного, будь то лекарство, необходимая для здоровья пища или выполнение просьбы не мешать и говорить потише. А школьники, жестоко и безжалостно издевающиеся над одноклассниками, которые хоть в чем-то отличаются от них самих: слишком рыжие, слишком толстые, слишком близорукие, слишком медленно думающие, слишком неуклюжие на уроках физкультуры? Короче — кошмар и ужас, средоточие всех мыслимых и немыслимых пороков. Я вижу улыбки на ваших лицах. Все правильно. Объективно я правильно характеризую маленьких детей, но субъективно все выглядит, конечно, совсем не так. Детки — маленькие, они еще ничего не понимают, они ведут себя естественно, потому что еще не усвоили нормы морали и поведения. Дети — невинные души, чистые и непорочные. Так нас всех учили. А что, если это неправда? Что, если это очередной миф, в который мы свято верим, не имея никаких доказательств?

Попробуем взглянуть на проблему иначе. Дети рождаются изначально порочными и греховными. Душа человека — поле битвы Бога и Сатаны, это один из религиозных догматов, и с этим мы спорить не будем. Те же догматы утверждают, что дьяволу куда легче одерживать победы, нежели Богу, ибо стереотипы поведения, диктуемые дьяволом, кажутся куда более привлекательными и следовать им куда легче, а человек, как известно, слаб и подвержен соблазну. Для того чтобы победить дьявольские искушения, нужна большая внутренняя сила, высокая духовность, мудрость и жизненный опыт. Разве все это есть у новорожденного ребенка? У него есть душа, которую мгновенно завоевывает Сатана и располагается в ней весьма комфортно, вот откуда это порой совершенно невыносимое поведение малышей. Человеку отведен определенный срок жизни, и в течение этого срока его задача — очистить душу от пороков и грехов, чтобы к концу жизни в ней все-таки победило божественное начало. Для чего это нужно? Для того, чтобы бессмертные души продолжали свой вечный путь чистыми и непорочными. В великом космическом замысле человеческая жизнь для того и создана, чтобы служить средством для очищения душ. И задача человека, приходящего в этот мир, в том и состоит, чтобы реализовать себя в качестве этого средства.

Задача эта очень непростая, и далеко не у всех людей достает моральных сил хотя бы попытаться ее решить. Кстати замечу, что большинство и не пытается, ибо просто не подозревает о той миссии, которая на него возложена. Нужно очень много думать, размышлять, бороться с собой, буквально на горло себе наступать, короче говоря, борьба за очищение собственной души — это тяжкий труд, труд повседневный и многолетний. За пять дней такую задачу не решить, и за пять лет тоже. На это нужны десятилетия. Вот почему так важно, чтобы люди жили как можно дольше и как можно дольше сохраняли физическое и душевное здоровье. Кроме того, хорошо известно, что человек, занятый тяжелым, изнурительным трудом и живущий в нищете, голоде и болезнях, не склонен предаваться размышлениям о философских абстракциях, потому как мысли у него заняты тем, как выжить самому и прокормить детей. У него просто нет свободного времени и денег, чтобы после трудов праведных выпить чашечку кофе, устроиться в удобном кресле перед распахнутым окном и погрузиться в раздумья. Он так устал и измучен, что хочет уже скорее лечь спать. А ведь еще классики марксизма утверждали, что богатство общества измеряется свободным временем его членов. Забыли, наверное? Ну конечно, сегодня принято считать марксизм чем-то неприличным. А напрасно. Чем больше у человека сил и времени для умственной работы, направленной на нравственное самосовершенствование, тем успешнее он сможет решить свою задачу. Вот мы и получили ответ на вопрос о том, для чего нужен технический прогресс и развитие науки. И между прочим, когда я говорю об умственной работе, направленной на самосовершенствование, я имею в виду вовсе не глубокомысленные посиделки с отрешенным видом, хотя и они весьма и весьма полезны. Мы читаем книги, смотрим кинофильмы или передачи по телевидению, слушаем радио, ходим в театры и на выставки, общаемся с другими людьми — и каждую минуту получаем информацию, которую перерабатываем, осмысливаем и делаем выводы. И это тоже работает на решение нашей задачи. Правда, многие из нас информацию только получают, а до ее переработки и осмысления, я уж не говорю о выводах, дело вообще не доходит.

Подведем краткий итог. Цель человеческой жизни — очистить собственную душу от грехов и пороков, в первую очередь от злобы, зависти, ненависти, ревности и лени. И все, что мы делаем, пока живем, следует ориентировать на выполнение этой задачи нами самими и облегчение ее решения другими людьми. Двигаясь к своей цели, мы нарабатываем определенный опыт, и им обязательно нужно делиться с другими, чтобы этим другим было легче. В конце концов количество накопленного опыта в мировой цивилизации станет таким, что свою задачу смогут решать все без исключения, и тогда человечество наконец сможет оправдать свое существование. А сегодня эту задачу удается решить очень и очень немногим. Знаете, почему? Не только потому, что многие не видят этой цели и не знают о ней, но и потому, что силы растрачиваются на всякую ерунду. Например, на то, чтобы следовать мифам, невесть кем и когда придуманным. Богатство — признак успешности, успешность — признак того, что ты достойный человек. Внешняя привлекательность — признак того, что у тебя все в порядке, и значит, ты — достойный человек. У тебя нет семьи — значит, с тобой что-то не так. Ты — женщина, не родившая ребенка? Значит, ты — пустоцвет, как сказал в свое время классик Лев Толстой, а классики не ошибаются. Ты — мужчина, женатый на женщине, которая на двадцать лет старше тебя? Так ты или альфонс, или пациент сексопатолога, или полный идиот. И мы глупо и нерачительно тратим собственную жизнь на то, чтобы соответствовать дурацким стандартам, которые навязывают нам эти мифы. Они, в конечном итоге, управляют всем нашим существованием, вынуждая совершать поступки, совершать которые нам совсем не хочется, вплоть до того, что мы порой носим одежду, которая нам не нравится, но которая считается в этом сезоне модной. Вы только вдумайтесь! Один человек придумал модель одежды, еще трое заохали и закричали, что это классно, модель объявлена модной — и вот вы уже носитесь по магазинам в поисках нужной вещи, и тратите на покупку деньги, которые могли бы потратить на что-нибудь более нужное, и носите эту вещь, хотя она вам не идет, и вы сами это видите, и вам в ней неудобно. О, я вижу, девушка на последней парте сочувственно улыбается. Вы, наверное, вспомнили эти чудовищные туфли с узкими длинными носами, да? Намучились? Как я вас понимаю! Вы видите, что происходит, друзья мои? Кто-то где-то создает миф — и мы готовы, ломая ноги, мчаться, чтобы соответствовать надуманному стандарту. А то, не дай бог, скажут, что мы не модные, а значит, и недостойные.

В общем, ничтожные и никчемные людишки. А на самом деле мы просто добровольно превращаем себя в марионеток, которыми управляет неизвестно кто, мы собственными руками отдаем свою свободу и свою жизнь на поругание этим мифам. Мы вступаем в брак не с теми, с кем хотим, мы получаем не то образование, какое нам действительно хочется, мы тратим свою жизнь на профессию, которая нам не нравится и не интересна, мы тратим свои деньги не на то, что нам действительно нужно, а все для чего? Для того, чтобы соответствовать стандарту, потому что если ты соответствуешь, значит, ты успешен, а если ты успешен, значит, хорош во всех отношениях, и тебя будут уважать. И это, кстати сказать, тоже один из мифов, причем очень опасный. Успех — не эквивалент нравственных достоинств, и успешный человек совсем не обязательно является носителем высокой нравственности и достоин уважения. Примеров вокруг сколько угодно. Гитлер, например, был более чем успешным политиком, его обожало население огромной страны.

Навязанные нам мифы я могу перечислять до бесконечности, но время наше истекло, и разговор мы продолжим на нашей следующей встрече...

Посещение лекции Андрея Филановского внесло смятение в душу Антона Тодорова. На следующее занятие он не пришел, опасался примелькаться, все-таки народу мало, а мужчин — так и вовсе единицы, и вдруг Андрей его запомнит? Конечно, ничего страшного, но Антону казалось, что демонстрировать свой интерес не нужно. Лишнее это.

Ему не давало покоя упражнение, начатое на семинаре. Антон все время возвращался к нему, и чем упорнее искал доводы в пользу отмщения, тем глупее и беспомощнее казался сам себе. А не бросить ли ему эту затею? Может быть, и впрямь нужно заняться нравственной работой, очищать душу от демонов, стремиться к духовному совершенству? Этот Андрей не так уж и неправ, особенно когда насчет мифов рассуждал. Яркий пример — Нана. Вбила себе в голову, что роман с подчиненным — это недостойно, если начальник — женщина, вот и мучается, скрывает от всех, что хуже всего — сама себя стесняется, стыдится. А разве это нормально, когда любовные отношения порождают чувство стыда и собственной неполноценности? Это даже самую сильную любовь убить может. Жаль, что Нана на лекции к Андрею не ходит, ей было бы полезно послушать. Зачем мстить Филановским? Зачем истязать себя ненавистью и вынашивать коварные планы, когда можно просто любить женщину и ее сына, заботиться о них и чувствовать, что твоя забота нужна и принимается с благодарностью. Не об этом ли он мечтал когда-то? Не этого ли добивался? Так вот оно, совсем рядом, что ж ты не радуешься жизни, а вместо этого пестуешь свою ненависть и злобу?

В такие минуты Антон всерьез сомневался в правильности своего замысла и готов был от него отказаться. Но потом он сталкивался в коридоре с Александром, Андреем или Любовью

170

Григорьевной — и все возвращалось. Демоны мести одолевали его душу, жаждавшую восстановления справедливости, и стоило ему увидеть кого-нибудь из Филановских, он отбрасывал сомнения и укреплялся в решимости довести свой план до конца. Мало ли что говорит этот иисусик длинноволосый, Андрей, ему легко рассуждать, он горя не видел, всю жизнь прожил, окруженный любовью бабушки, тетки и брата, да и бабы его любили, вон как часто он подружек меняет. В братьях Филановских Антон видел даже причину того, что с Наной все складывается не так, как ему хотелось бы. Если бы не они, если бы не необходимость отомстить, ему не пришлось бы устраиваться на работу в издательство и поступать в подчинение к Нане Ким, и она не стеснялась бы их отношений, не скрывала бы их и, вполне возможно, давно уже согласилась бы стать его женой. А ведь при сложившейся ситуации он даже предложение ей не делает, чтобы не ставить любимую женщину в сложное положение. Понятно, что она откажет, и понятно, что именно из-за его служебного статуса.

Но проходило время, и после очередного вечера, проведенного с Наной, он снова возвращался мыслями к тому, что услышал на лекции Андрея, и снова ему казалось, что ненависть и месть — такая глупость, и так это все не нужно, и так жаль тратить на них душевные силы и свою жизнь, надо просто любить и радоваться. А потом снова приходило время очередной корпоративной вечеринки, и вся семья Филановских демонстрировала окружающим взаимную любовь и полную идиллию, и опять поднималась в Антоне мутная волна, кишащая ядовитыми чувствами.

Получив от Наны задание помочь Любови Григорьевне в поисках отца ее племянников, Антон впервые не только оказался в том самом доме на Тверской, возле которого он столько раз поджидал братьев, но и впервые получил возможность долго разговаривать с теткой Александра и Андрея. Прозвеневший когда-то тихий звоночек в тот вечер уже гремел оглушительным набатом. Любовь Григорьевна была, бесспорно, умной женщиной, тщательно взвешивала каждое сказанное слово и безошибочно просчитывала последствия каждой выдаваемой Антону толики информации. Но она, увы, не унаследовала актерского таланта матери, маску носить не умела, и попытки скрыть свои истинные чувства ей удавались плохо. Точнее, не удавались совсем. Она никогда не любила своих осиротевших племянников. Не любила их в детстве, когда они были еще малышами, не любила и теперь. И в разговоре с Антоном скрыть эту нелюбовь не смогла. Говорила одно, а глаза, голос, жесты, даже поза ее свидетельствовали совсем о другом.

Когда Антон только вскрыл переданный Наной конверт и увидел написанное на вложенном листке имя своего отца, его первым побуждением было тут же позвонить Филановской и сообщить, что Сергей Дмитриевич Юрцевич скончался несколько лет назад. Глупое мальчишеское тщеславие! Как они, и Любовь Григорьевна, и Нана, удивились бы, что ему удалось так быстро, в мгновение ока, выполнить задание! Но он сдержал неуместный порыв, выждал полагающееся время и явился на аудиенцию к женщине, на которой его отец готов был жениться. Может быть, она расскажет об отце что-нибудь такое, чего Антон не знает и что заставит его по-другому взглянуть на восемнадцать прожитых ими вместе лет. Нет, на словах она ничего нового не поведала, все это Антон и так знал из рассказов отца, но вот глаза ее и голос, когда она упоминала о Юрцевиче... «Боже мой, — думал Антон, не спуская глаз с Любови Григорьевны и напряженно ловя каждое изменение интонации, — да она же его любила! Она готова была согласиться на брак с ним, даже понимая, что он ее не любит и идет на это только ради сыновей. Она готова была пойти на унижение, только бы быть с ним. А Тамара все испортила. Сначала Тамара не дала своей младшей дочери выйти замуж за моего отца и тем самым навязала старшей дочери ненужную и тягостную обузу — двоих малышей, потом не дала Любе выйти замуж за человека, в которого она влюбилась. И с тех пор она ненавидит свою мать, не может ей простить своей несложившейся личной жизни. Несчастная Люба, прожившая в ненависти к самым родным людям. И несчастная старая Тамара Леонидовна, в слепоте своей уверенная, что жизнь подарила ей старость в окружении любящих дочери и внуков, и не знающая, что дочь ее люто ненавидит. И несчастные Саша и Андрюша, которые даже не догадываются, что выросли без любви, что о них заботились по принуждению и каждую минуту считали виноватыми в том, что у их тетушки не складывается личная жизнь. Они никому не были нужны, ни бабушке, занятой театром, съемками, пластическими операциями и поддержанием неувядающей молодости, ни тем более тетке. Я-то, дурак, столько лет считал их семью идиллически счастливой, а на самом деле там любви — кот наплакал, только братья искренне любят друг друга, бабку и тетку, а все остальное — видимость, тлен и прах».

В тот вечер, выйдя из дома на Тверской, Антон Тодоров окончательно решил выбросить идею мести из головы. Нельзя бить лежачего, недостойно мстить несчастным.

И надо же: стоило ему принять такое решение и отказаться от осуществления задуманного, как прошло всего две недели — и на Филановских свалилась беда. Андрея, похоже, всерьез подозревают в убийстве, еще немного — и точно такое же подозрение падет на Александра. Он ведь говорил Нане, что не позволит ни Катерине, ни любой другой женщине встать между ним и братом. Чем не мотив для убийства?

Москва, март 2006 года

Александр Филановский должен был вот-вот подъехать, и Нана вышла на улицу встретить его. После тяжелого вечера и бессонной ночи голова была какой-то пыльно-мутной, и Нане казалось, что на холодном сыром воздухе ей станет полегче. Антон общается с оперативником, другой сотрудник розыска задал ей несколько вопросов о порядке привлечения лицензированного охранного агентства к работе в издательстве и переключился на дежурную смену. Ей сказали, что Андрей находится дома, вместе со следователем, и она позвонила Саше и попросила приехать. Ему, наверное, тоже не удалось отдохнуть, он сразу после вечеринки помчался в аэропорт Домодедово встречать приятеля, как он заявил всем. «Приятеля», — усмехнулась про себя Нана. Наверняка очередная интрижка, и он едет встречать свою пассию. Потому и без водителя... Небось только-только успел до дому доехать, собрался спать ложиться — и тут такое...

Филановский вышел из машины без куртки, которую всегда бросал на заднее сиденье, и Нана заметила, что он одет так же, как на вечеринке в клубе. Стало быть, она перехватила его в дороге и дома он еще не был. Вот бедолага, сочувственно подумала она. Александр молча кивнул ей и взглянул вопросительно: мол, что там? Неужели то, что ты сказала по телефону, — правда?

— Андрей сейчас дома, его следователь допрашивает, — ответила она. — А у нас тут ЧП: из дежурки пистолет пропал. Здесь оперативники работают, следователь подъедет позже. Ты хоть домой-то успел доехать?

— Нет. Рейс задержался, прилетел только в пять. Я... — он чуть запнулся, —...приятеля отвез, ну, посидели полчасика, потрепались, чаю попили, а тут ты звонишь. Нана, я что-то плохо понимаю: они Андрюху подозревают, что ли?

— Саш, ну а кого им еще подозревать? Человек поссорился с любовницей и застрелил ее. Милое же дело! Скажи спасибо, что его не задержали пока.

— Откуда известно, что они поссорились? — нахмурился Филановский.

— Андрей сам им сказал, он этого не скрывал. Следователь уже и водителя из постели вытащил, тот подтвердил, что ссориться они начали еще в машине. Он их высадил у дома и уехал, а они еще стояли и переругивались.

— Ну? — нетерпеливо спросил он. — А дальше что?

— Неизвестно. Андрей говорит, что Катя пошла домой одна, а он решил прогуляться, проветриться, потому был очень сердит на нее. Бродил по улицам и ждал, когда эмоции улягутся. Ты же знаешь, Андрюша напряжение снимает ходьбой, ему очень помогает. Около четырех часов ночи он вернулся, зашел в подъезд, а там Катерина мертвая лежит... Ужас. Он сразу же вызвал милицию.

— А почему ты здесь? И милиция почему здесь?

— Потому что Андрей честно рассказал, из-за чего произошла ссора, и водитель тоже все рассказал. Они ссорились из-за тебя, Саша. И следователь велел операм тебя разыскать, потому что суть конфликта такова, что убил Катю либо Андрей, либо ты.

— Все равно я не понимаю, почему они

приехали в издательство! — зло проговорил Филановский. — Что, это единственное место, где меня можно разыскать в шесть утра в праздничный день? У них с головой как вообще?

— У них с головой все в порядке, — холодно сказала Нана. — Конфликт начался на вечеринке, им нужны свидетели, и нужны срочно. Катя застрелена из пистолета «ИЖ-71», это установлено по гильзе, но оружие на месте преступления не найдено. Андрей добровольно разрешил осмотреть свою квартиру, но и там оружия не нашли. Если убийца — Андрей, значит, оружие было у него с собой еще на вечеринке, потому что водитель показывает, что по дороге они никуда не заезжали и нигде не останавливались. После убийства он имел возможность довольно долго гулять по городу и выбросить пистолет. Саша, я ни на минуту не верю, что Андрюша мог такое сделать, но милиция думает именно так, и я их понимаю. Поэтому им надо побеседовать с теми, кто был в клубе. Где взять список с адресами и телефонами? У твоего брата в кармане? Поэтому они приехали сюда и сразу же вызвали меня.

Она слегка запнулась и добавила:

— А я, в свою очередь, вызвала Тодорова. Он умеет с ними разговаривать.

Ей почему-то очень хотелось сказать: «Мы с Тодоровым приехали». Вот сказать — и все. И гори все ясным пламенем! Пусть Саша думает что хочет.

— И еще одна неприятность. Я тебе уже сказала: из дежурки вчера днем пропал пистолет.

Как раз «Иж-71». Это выяснилось только тогда, когда в издательство приехала милиция. А твой дружок Родюков об этом знал с самого начала и соизволил мне сообщить только полчаса назад, после того, как ему позвонил старший смены и рассказал об убийстве Катерины.

Филановский долго молчал, и Нане показалось, что он избегает смотреть ей в глаза.

— Холодно, — наконец произнес он куда-то в пространство. — Чего мы на улице стоим? Пойдем ко мне в кабинет, хоть кофе выпьем.

Они вместе поднялись в лифте и прошли по длинному коридору, но Нане казалось, что они идут по отдельности, каждый своей дорогой и каждый по своему делу. Александр шел впереди, Нана — сзади, глядя ему в спину, и она вдруг поймала себя на том, что впервые за последние годы не думает, видя Филановского: «Господи, как же я его люблю!» Она думала только о том, что впереди нее по коридору идет человек, ее шеф, который, вполне возможно, сам спровоцировал ту беду, которая обрушилась сегодня ночью на его семью.

— Ты говорил вчера с Андреем? — полуутвердительно спросила она, когда они устроились в мягких креслах в приемной, царстве Анны Карловны, рядом с кофе-машиной.

— Да, — коротко ответил Филановский, по-прежнему не глядя ей в глаза.

— Что ты ему сказал?

— Правду.

— Какую правду?

— Нана, я не хотел, честное слово! — Он все-таки посмотрел на нее, но почти сразу перевел взгляд на дверь собственного кабинета. — Сначала я просто пытался убедить его в том, что ему надо расстаться с Катей, что она ему не пара. Я хотел сделать так, чтобы она исчезла из нашей жизни. Но Андрюха стал насмехаться надо мной, говорил, что будет жить только своим умом, а не моими советами, и так далее... Я разозлился и вывалил ему все, как есть.

— И он тебе поверил?

— Конечно. Я никогда ему не врал, и он это знает. А потом я еще с Катериной поговорил. Дура она непроходимая. Нехорошо так о покойниках... Я ей сказал, что она — чудесная девушка, умница и красавица, и ей нужно искать мужчину, с которым она сможет создать семью, но ни мой брат, ни я для этого не подходим. Андрей уже был женат и с тех пор твердо решил некоторое время не жениться, лет примерно до сорока пяти, а я так и вовсе счастлив в браке и никаких острых ощущений не ищу. Ты представляешь, она сначала расплакалась, а потом заявила, что раз я такая сволочь, то она Андрюхе скажет, будто я к ней приставал. И жене моей тоже скажет. Из мести. Вот не зря говорят, что нет фурии страшней, чем отвергнутая женщина. Я как представил, что Андрюха и Ленка такое услышат от нее, мне прямо плохо стало. В тот момент я ее готов был убить. Как ты думаешь, Андрюху арестуют?

— Наверное, — она пожала плечами. — Не знаю, надо у Тодорова спросить, я в этом не разбираюсь.

— Где он сейчас?

— У себя в комнате, с опером беседует.

— Позвони-ка ему, пусть зайдет сюда на пару минут.

Тодоров пришел минут через десять вместе с оперативником Олегом Бариновым. Александр Филановский умел располагать к себе людей, в этом ему не откажешь. Нана была уверена, что Баринов ничего не скажет. Но ошиблась.

Для задержания Андрея пока нет никаких оснований: он не застигнут на месте преступления, очевидцы не показывают на него с уверенностью как на лицо, совершившее убийство, ибо очевидцев никаких в подъезде глубокой ночью почему-то не оказалось, он не объявлен в розыск и не пытается скрыться, орудие убийства в его квартире не обнаружено. Правда, следователь изъял у него перчатки и одежду, в которой он был, чтобы отправить на экспертизу на предмет обнаружения частиц пороха. Если таковые обнаружатся, то будут основания полагать, что он стрелял из огнестрельного оружия, и вполне вероятно, именно в Екатерину Шевченко, вот тогда можно будет идти к судье за постановлением на заключение под стражу, даже если пистолет к тому времени не найдут.

— Но это точно, что Катю убили из нашего пистолета? — спросил Александр. — Я имею в виду, из того пистолета, который украли из дежурки.

— Нет, не точно. Пистолет, находящийся на вооружении у сотрудников частного охранного агентства, отстрелян, его данные находятся в пулегильзотеке. Следователь отправит на экспертизу стреляную гильзу, изъятую с места происшествия, и пулю, которую извлекут при вскрытии из тела убитой, и баллисты дадут точный ответ, тот пистолет или нет, — тщательно и подробно продолжал объяснять Баринов.

Нане даже показалось, что он почему-то очень хочет понравиться директору издательства и произвести на него наилучшее впечатление.

— А пока что мы будем устанавливать, кто из сотрудников вашего издательства имел возможность взять пистолет из комнаты охраны. Это ведь само по себе тоже преступление, и его надо раскрывать независимо от того, что скажут эксперты-баллисты. Если окажется, что Катю Шевченко застрелили из вашего «ижика», то мы будем точно знать, что это сделал кто-то из ваших. А уж если другие эксперты дадут заключение, что на одежде вашего брата имеются частицы пороха и продуктов сгорания, то можно будет практически со стопроцентной уверенностью утверждать, что именно ваш брат это преступление и совершил. Вот тогда и будет решаться вопрос о его задержании и последующем аресте.

Филановский внимательно выслушал оперативника, некоторое время задумчиво допивал свой кофе, потом осторожно спросил:

— Но ведь Андрей вам сказал, что они с Катей ссорились. И якобы водитель, который их вез из клуба, это подтвердил. Это правда?

Баринов бросил на него взгляд, который Нане показался немного странным. Было в нем то ли удовлетворение, то ли скрытое злорадство, то ли что-то еще эдакое, чему она и названия-то придумать с ходу не смогла.

— Правда, — спокойно сказал Олег.

— Значит, у Андрея был мотив совершить убийство?

— Был.

— Но это не является поводом для задержания?

— А что мотив, Александр Владимирович? — Баринов улыбнулся открыто, но Нане снова почудилось что-то не то. — Мотив — он и есть мотив, эмоция, мысль, которую руками не пощупаешь. Если уж на то пошло, то ведь у вас он тоже был, не так ли? И возможность взять пистолет из дежурки была и у вашего брата, и у вас. Андрей вчера был в издательстве, мы это проверили по спискам в дежурке. Ну а вы-то вообще бываете здесь каждый божий день. И возможность спрятать или выбросить оружие после совершения преступления была у вас обоих. Ваш брат три часа после убийства ходил по улицам, то есть неизвестно где. А вы где были? Между моментом отъезда из клуба в половине первого ночи и прибытием в аэропорт в пять утра вас никто нигде не видел. А кстати, где вы были?

— Я? — Филановский смутился, или Нане снова что-то показалось? Нет, нельзя не спать вторые сутки подряд, не в том она возрасте, чтобы давать организму подобные нагрузки, вот уже и галлюцинации начались, все кажется что-то, мерещится... — Я спал. В машине. Когда узнал, что рейс задерживается, припарковался и немного поспал. Домой возвращаться было бессмысленно.

— И когда вы узнали о том, что рейс задерживается? — с веселым любопытством спросил Олег Баринов. — Уже в аэропорту?

Нана вздрогнула. Только сейчас она поняла, куда клонит этот старательно-доброжелательный старший лейтенант, бывший сослуживец Антона. На парковке аэропорта все машины фиксируются, и очень легко проверить, действительно ли он приехал туда к четверти второго и простоял до пяти. И если окажется, что он лжет, то... Совсем нехорошо получается. Потому что получается, что Катерину застрелил именно он. «Я никому не позволю встать между мной и братом...» «Я готов был ее убить!» Да нет же! Ну мало ли что человек скажет в запале? Это же не всерьез, просто оборот речи.

— Нет, по дороге. Я немного не рассчитал время, выехал из клуба чуть позже, чем нужно, и в какой-то момент мне показалось, что я опаздываю к прибытию рейса. Погода туманная, мокро, скользко, видимость плохая, и я ехал медленнее, чем рассчитывал. Я решил позвонить и узнать, когда точно ожидается рейс, потому что часто бывают задержки даже тогда, когда самолет прилетает по расписанию. Минут на десять-двадцать.

Голос у Саши уверенный, никакого волнения. Может, зря она беспокоится? Ой, в неспавшую голову какие только глупости не залезают! И сидят там, располагаются уютненько, домашними пожитками обзаводятся, дают потомство.

— Что же вы из клуба-то не позвонили? — поинтересовался оперативник. — Узнали бы заранее и не беспокоились.

— Не сообразил. Замотался, гостей много, шум, музыка, веселье. Просто не сообразил.

— Бывает, — оперативник сочувственно кивнул. — Ну так где же вы спали, Александр Владимирович?

— Где-то в районе метро «Каширская».

— Не обратили внимания, может, рядом ресторан был или ночной клуб какой-нибудь? Или круглосуточный магазин?

— Там, кажется, вообще ничего не было. Какое-то длинное здание, жилой дом.

Нана понимала, куда клонит Баринов. Ему нужны свидетели, которые подтвердят, что машина Филановского действительно стояла там в указанное время, а еще лучше — если они скажут, что видели в ней спящего человека. У работающих ночью заведений есть охрана, которая наблюдает за улицей, и камеры видеонаблюдения. Но если они скажут, что машина действительно стояла, только в ней никого не было, тогда дело плохо. Саша мог в расчете именно на это оставить машину, поймать частника и... а потом вернуться. А как же пистолет? Ведь он был украден еще днем. Неужели Саша уже тогда предвидел возможность такого развития событий? А ведь он совершенно точно знал, где и как можно спереть этот чертов пистолет, потому что написанные Наной Ким докладные о нарушениях со стороны сотрудников «Цезаря» толстой стопкой лежат в его сейфе. И то, что он не принимал по ним никаких мер, совсем не означает, что он их не читал и не сделал соответствующих выводов. Он лучше кого бы то ни было понимал, что зайти в дежурку и увести «ижик» мог любой сотрудник издательства, которому повезет «поймать момент», а моментов этих в течение смены — уйма, вот и пусть доискиваются, кто именно это сделал. Пока милиционеры будут это выяснять, их внуки поседеют и выйдут на пенсию. «Да елки-палки! — сердито оборвала себя Нана. — О чем я думаю? Сашка — убийца? Бред сивой кобылы. Этого просто не может быть. А Андрюша? Он разве похож на человека, способного убить? Тоже нет. Но алиби, или как там это у них называется, нет ни у одного, ни у второго. А возможность была. И мотив был. Нет, нет, выбросить это из головы, не думать, не нервничать. Катю убили, это горе, это беда, и можно горевать по ней и сочувствовать Андрюше, который потерял любимую девушку, но ни в коем случае не подозревать братьев Филановских. Я не имею права их подозревать, потому что один из них — мой любимый мужчина, а другой — его любимый брат. Они должны быть для меня вне подозрений».

Что-то неправильное было в этой последней мысли, чем-то она царапнула Нану, задела острым заусенцем и оставила кровоточащую царапину.

Они проговорили еще около часа, Баринов задавал множество вопросов, в том числе и о причинах ссоры Андрея и потерпевшей Шевченко, Филановский долго пытался быть корректным, потом рассказал то, что Баринову и так уже было известно. Нана была уверена, что Антон успел поделиться с оперативником тем, что узнал от нее.

Когда расходились, было почти девять утра. От усталости у Наны кружилась голова и слегка подташнивало, так бывало всегда после бессонной ночи. Баринов остался в издательстве заканчивать вместе с коллегой опрос дежурной смены, Нана, Антон и Филановский вышли на улицу втроем.

— Вам надо поспать, — как-то отстраненно произнес Александр. — Поезжайте по домам. На свежую голову думается легче. А я поеду к Андрюхе, разберусь, что там и как. Антон, когда нужен будет адвокат?

— Кому? — невинно осведомился Тодоров, и Нана мысленно улыбнулась.

— Андрюхе, конечно.

— Пока он только свидетель. Если задержат — тогда нужен будет.

— Значит, время есть, чтобы найти самого лучшего, — удовлетворенно сказал Филановский. — Ладно, друзья мои, поехали спать.

Он привычным жестом обнял Нану за плечи, притянул к себе и поцеловал в висок. В первый момент она испугалась, что сейчас, как обычно, зальется краской, и Антон это заметит, и ему будет непонятно и тревожно, а если понятно — то неприятно. Но уже в следующую секунду она внезапно догадалась, что же неправильного и так больно царапающего было в той самой последней мысли.

Она не покраснела и внутри у нее впервые за все последние годы ничего не дрогнуло от поцелуя Александра Филановского. Они с Антоном направились к своим стоящим рядом друг с другом машинам, и Нана даже не оглянулась, чтобы убедиться, что директор на них не смотрит. В другое время она бы начала придумывать какие-нибудь глупые хитрости, чтобы эти стоящие бок о бок машины не бросились Саше в глаза. Мало ли что он подумает — например, раз машины стоят так тесно друг к другу, значит, Нана с Тодоровым приехали одновременно, и не просто одновременно, а ехали вместе... В другое время. Но только не сегодня.

«И больше никогда», — мысленно сказала себе Нана Ким.

* * *

Ей опять снилось, что она на соревнованиях, готовится к выступлению. Только все спортсмены молодые, а она — сегодняшняя, тридцатипятилетняя, и Нана удивляется, зачем она вообще ввязалась, зачем приехала соревноваться, ведь понятно же, что в ее возрасте невозможно даже при самой лучшей подготовке переиграть даже самого слабого молодого фигуриста. Тем более она давно не тренировалась... Но ей так хочется кататься, а кататься не дают, если не ездишь на соревнования. Во сне этот аргумент кажется ей очень весомым и неопровержимым.

Она разминается в зале, уже в костюме для выступления и в накинутой сверху спортивной куртке. Заходит какой-то мужчина, снисходительно смотрит на нее и вдруг говорит:

— Тройной аксель будешь прыгать с шагов.

Внезапно Нана понимает, что это — Александр Филановский, и что он приехал сюда с командой, и у него есть какие-то права давать указания. Но самое главное — он ее явно не узнает. И не понимает, что перед ним взрослая женщина, а не молоденькая девушка.

— Но я не разучивала, — растерянно отвечает Нана, стараясь отвернуться и спрятать лицо, пока Филановский не понял, что перед ним — руководитель службы безопасности его издательства. И главное — пока он не понял, какая она старая. «Вот ужас-то! — думает Нана. — Он сейчас увидит, как я плохо катаюсь и как бледно выгляжу на фоне молодых, я подведу команду, и когда я вернусь в Москву, он меня уволит. Зачем ему руководитель службы безопасности, который может подвести команду? Это он сейчас меня не узнает, а как только встретит меня в издательстве, сразу вспомнит, что видел меня на соревнованиях и что я очень плохо каталась. Что же делать?»

— Что значит — ты не разучивала? — говорит между тем Филановский. — Глупости это все. Выйдешь на лед и прыгнешь тройной аксель с шагов.

— Но зачем? — в отчаянии спрашивает она.

— Потому что это стильно. Это красиво. Это — просто супер. Я начальник команды, и все спортсмены, которых я сюда привез, прыгают аксель с шагов. И ты прыгнешь.

— Я с шагов прыгаю только сальхов, — виновато бормочет Нана, все еще стараясь спрятать лицо.

— Это меня не интересует. Чтобы занять приличное место, надо прыгать так, как я сказал. И ты будешь прыгать.

— Мне не нужно приличное место! Меня устроит любое, — честно признается Нана. — Ничего страшного, если я буду последней.

— Ты, милая моя, зачем сюда приехала? Развлекаться? — строго произносит Филановский. — От тебя ждут призовое место, а призового места без тройного акселя с шагов тебе не видать.

— Но Вера Борисовна... — лепечет Нана. — Мы же с ней договорились... Она разрешила... Она же знает, что я не борец, я просто так катаюсь, не для медалей, а для удовольствия... Вы у нее спросите...

— Какая еще Вера Борисовна? — презрительно спрашивает Филановский. — Здесь нет никакой Веры Борисовны. Я — начальник команды, я здесь главный, как я скажу — так и будешь делать. Поняла?

— Но это невозможно! — она еще пытается сопротивляться. — Никто не прыгает тройной аксель с шагов! Это просто невозможно! Его выполняют только после мощного разбега!

— Меня это не касается. Выйдешь на лед и будешь прыгать так, как я сказал. Иначе я тебя вообще на лед не выпущу. Или прыгаешь с шагов, или снимаешься с соревнований.

Этот страшный, невообразимый, принципиально невозможный «тройной аксель с шагов» снился Нане уже не в первый раз, и каждый раз во сне она пыталась прыгнуть его, выходила на лед, понимая, что ничего не получится, и утешала себя тем, что другие же как-то прыгают, значит, это в принципе возможно, хотя она сама никогда такого не видела, но ведь этот дяденька сказал, что его спортсмены так делают. Значит, и она сможет. Она катается почему-то под чужую музыку, и понимает, что элементы ее оттренированной программы на эту музыку не ложатся, и пытается что-то сымпровизировать, попасть в ноты, и ничего у нее не получается. Не то что тройной аксель, а вообще ничего. Ну совсем. Она не чувствует лед, под ногами словно вязкое болото, по поверхности которого невозможно ни скользить, ни набрать скорость, ни оттолкнуться. И ноги как чужие...

Но в этот раз привычный сон был немного другим. Во-первых, никогда раньше мужчина, называющий себя начальником команды, не был Сашей Филановским. А во-вторых, в своем сегодняшнем сне Нана Ким впервые не вышла на лед. Она переоделась, аккуратно сложила костюм и коньки в спортивную сумку и вышла из спорткомплекса. Шла по улицам незнакомого города и чувствовала себя счастливой. Потом появилась мысль: «Что я наделала? Дура! Идиотка! Я самовольно снялась с соревнований, даже не снялась, а просто сбежала, никого не предупредив. Теперь меня точно выгонят из команды. И Саша меня уволит, потому что я грубо нарушила дисциплину. Он меня уволит, и я больше не буду работать у него в издательстве и больше никогда его не увижу. Как же я смогу жить, не видя его? Я ведь так его люблю!» В этот момент ей стало ужасно смешно, она расхохоталась и шла, хохоча и размахивая большой сумкой, и прохожие оглядывались на нее, кто с недоумением, кто с осуждением, а кто с улыбкой.

Нана проснулась от собственного смеха и увидела, что Антона рядом нет. В первый момент даже испугалась, потом прислушалась: из ванной доносился шум льющейся из душа воды. Она не стала вылезать из постели, лежала, блаженно потягиваясь, и глупо улыбалась. Потом вспомнила об убийстве Катерины, и улыбка сразу потухла, но уже через несколько секунд снова вернулась, и Нана ничего не могла с этим поделать. Что же с ней творится? Она должна быть серьезной, озабоченной, даже, может быть, трагичной, ведь человека убили, и не так чтобы очень уж постороннего. Конечно, Катерина Нане Ким никто, очередная подружка брата ее начальника, седьмая вода на киселе, но все-таки они были знакомы, да и вообще, когда человек умирает, все должны горевать и никто не имеет права быть счастливым. А вот она почему-то счастлива. Как начала радоваться во сне, так до сих пор остановиться не может.

Нана протянула руку, взяла с тумбочки мобильник, проверила, не было ли сообщений от Никиты. Сообщение было, совсем коротенькое: «У меня все получается! Ура!» Слава богу, хоть у сына все в порядке.

— Ты встаешь или еще будешь досыпать? — Антон стоял в дверях спальни, обмотанный полотенцем, с мокрыми волосами и чисто выбритым лицом.

— А который час? — лениво спросила Нана.

— Половина шестого. Если ты со сна плохо соображаешь, то уточняю: вечера.

— Есть хочется, — невпопад сказала она. — Давай позвоним бабе Вере и позовем ее в гости. Она блинов напечет. Очень хочется блинов, причем много, досыта, с медом, с вареньем и со сметаной. А? Давай?

— Давай, — улыбнулся Антон. — А как же твоя диета и твоя фигура?

— А черт с ними, — легко и радостно рассмеялась Нана. — Ну, будет у меня талия на пять сантиметров толще или даже на десять. Ты что, готов меня бросить из-за этого?

— Я тебя не брошу, даже если ты будешь весить тонну. Что с тобой, Нана? Ты сегодня на себя не похожа. Что-то случилось?

— Сон смешной приснился.

— Расскажешь?

Она помотала головой по подушке, мол, нет, не расскажу. Врать не хотелось, но не говорить же Антону, что ей снится Филановский и она переживает, что больше никогда его не увидит, и как же ей жить без него, ведь она его так любит. Ей снова стало весело, и она невольно прыснула.

— Почему? Сон был неприличный?

— Да нет, ничего неприличного, просто я его почти не помню, все смазалось, ну, знаешь, как это бывает. Осталось только ощущение смешного и радостного.

Все-таки пришлось соврать. Сон свой Нана помнила отлично.

Она, не вылезая из постели, позвонила Вере

Борисовне и ужасно огорчилась, когда выяснилось, что та никак не может устроить им «блинов
досыта», потому что отмечает праздник со своими маленькими фигуристами и их родителями.

— Придется вставать, — удрученно констатировала Нана, — и готовить еду самостоятельно. А я так хотела сегодня полениться!

— Давай сходим куда-нибудь, — предложил
Антон. — Рядом с домом полно ресторанов.

— Нет, в ресторан не хочу. Вообще из дому
выходить не хочу. И красиво одеваться не хочу.
Хочу ходить в халате и шаркать ногами, обуты-
ми в шлепанцы без задников.

— Это что, капризы? — удивленно спросил
он. — Как-то на тебя не похоже.

— Это не капризы, Тоша, — Нана встала, за-
куталась в халат, туго завязала пояс и быстрым
движением пальцев поправила разлохматив-
шиеся во сне волосы, — это нормальное желание не напрягаться и не выглядеть, а просто
быть. Быть самой собой. Я тебя разочаровала?

— Ты меня озадачила. И немного напугала.
Даже и не знаю, как тебя в таком странном состоянии одну оставлять.

— Ты собираешься уходить?

Ей сразу стало грустно. Она даже не подозревала, что может так расстроиться при мысли,
что Антон сейчас уйдет.

— Если ты против, я никуда не пойду.

— Я против, — она смело посмотрела ему в
глаза и улыбнулась. — Я не хочу, чтобы ты уходил. Я хочу, чтобы ты остался.

Никогда за все время, что они встречаются,

Нана не просила Антона Тодорова не уходить, точно так же как никогда не приглашала его к себе и не спрашивала у него согласия на то, чтобы прийти к нему. Она считала это ниже своего достоинства. Если он хочет провести с ней время, пусть сам приглашает или сам просит позволения приехать. Она ни за что не станет проявлять инициативу. Ни за что. И что это с ней сегодня?

— Хорошо, я остаюсь.

— А куда ты собирался?

И снова она поступила против собственных правил. Никогда подобных вопросов Нана себе не позволяла. Антон — взрослый самостоятельный человек, кроме того, он ее подчиненный, и какое право она имеет контролировать его и спрашивать, куда он идет или где и с кем был, если это не касается работы? Это казалось ей чем-то неприличным и не соответствующим тем отношениям, которые она же сама и установила.

— Я хотел съездить к Любови Григорьевне, поговорить. Надо помочь Олегу Баринову, поспрашивать, может, она видела или слышала что-нибудь любопытное. И потом, мы с тобой вчера говорили о том, что надо попробовать выяснить, кто еще, кроме моего отца и самих Филановских, мог знать о той истории. Нужно искать автора писем, убийство Катерины этой задачи не отменило.

— Поезжай, — решительно сказала Нана. — Это надо сделать, ты прав. Сейчас я быстренько приготовлю что-нибудь вкусное, позавтракаем — и поезжай.

АЛЕКСАНДРА МАРИНИНА

— Ты имеешь в виду — поужинаем? — с улыбкой осведомился Антон.

— Ладно, сойдемся на том, что пообедаем, — она легко пошла на компромисс. — Только возвращайся потом ко мне, ладно? Я буду валяться на диване, смотреть телевизор и ждать тебя.

Антон потянул ее за руку, прижал к себе, обнял.

— Знаешь, сколько лет я ждал, чтобы услышать эти слова? Я всегда хотел, чтобы меня дома ждали. Даже папа мне никогда этого не говорил, — прошептал он ей на ухо.

— Я буду говорить тебе это каждый день, — ответила она тоже шепотом. — Хочешь?

— Хочу. Очень хочу.

— А отбивную из свинины хочешь? С жареной картошкой и салатом.

— Тоже хочу.

— А еще чего хочешь?

— Не скажу, — улыбнулся Антон, — а то на Тверскую не успею.

* * *

— Я так и знала, что добром это не кончится. — Любовь Григорьевна резким движением закрыла дверь в свой кабинет. — Я как чувствовала, что эта девчонка внесет разлад в нашу семью. Мне утром позвонил Андрюша, но ничего толком не объяснил, он был так взвинчен! Ну что там, Антон, рассказывайте же.

Антон устроился в кресле, достал блокнот и папку, в нескольких словах обрисовал Филановской ситуацию.

— Ну конечно, это все его неразборчивость, — сердито проговорила она, — вечно у него девицы меняются, ни одну не может около себя удержать. Вернее, не хочет. Разумеется, у него характер непростой, не каждая может с таким ужиться, да еще это его весьма сомнительное мировоззрение... Девушкам все это не нравится, они пытаются с этим бороться, угрожают, что бросят его, если он не станет вести себя по-другому, а он их спокойно отпускает, ни одну не пытается удержать. Разве так можно? Сосуществование двух людей — это труд, адский труд, можете мне поверить, а Андрюша не хочет прикладывать ни малейших усилий к тому, чтобы выстроить отношения должным образом. Знаете, почему от него жена ушла в свое время? Она не могла вынести того, что он ее совсем не ревнует. Она специально давала ему поводы для ревности, хотела проверить, насколько она ему дорога, а он только улыбался. Как будто ему все равно, как будто она ему не очень-то и нужна. Конечно, она обиделась. А кто бы не обиделся?

— Любовь Григорьевна, — мягко остановил ее Тодоров, — припомните, пожалуйста, вчерашний вечер в клубе. Все, что показалось вам примечательным, необычным, привлекло ваше внимание. Особенно если это касается ваших племянников и Кати.

— Вы что?! — Филановская гневно посмотрела на него. — Вы что, всерьез полагаете, что мои мальчики могут быть в этом замешаны? Да я больше чем уверена, что это сделал кто-то из Катиных кавалеров, она девушка красивая, с Андрюшей ей было сложно, она искала кого-нибудь получше, с перспективой.

— И все-таки, — настойчиво продолжал Антон, — я прошу вас вспомнить все, что можете. Я ведь рассказал вам про украденный пистолет. А Катя была застрелена из пистолета такой же марки. Вполне возможно, что именно из него. Украсть пистолет мог только тот, кто работает в издательстве или бывает в нем. Почти все сотрудники издательства вчера были в клубе, и вы имели возможность за ними наблюдать. Вы ведь хорошо знаете тех, кто работает в «Новом знании», правда?

— Ну... пожалуй, — нехотя согласилась она. — Во всяком случае тех, кто давно работает.

— Вот и давайте для начала пройдемся по списку, — Тодоров протянул ей несколько скрепленных листков, которые распечатал сегодня утром со своего компьютера. — Отметьте галочкой тех, кого вы видели.

Филановская взяла карандаш и начала читать. Сначала молча, потом стала комментировать вслух.

— Видела... так... его тоже видела... нет, я его знаю, но он мне не попадался на глаза... видела... эту не знаю...

— Кого? — тут же спросил Антон.

— Какая-то Марина Савицкая. Новенькая, что ли?

— Да, новая сотрудница отдела рекламы. Она была в клубе.

— Ах да, Саша мне ее представил, только я имя запамятовала. Ладно... Таню видела... кстати, она удивительно хорошо выглядит для своих лет... Анечку тоже видела... Янкевич был... а это...

Она запнулась. На лице мелькнул испуг, но Любовь Григорьевна быстро справилась с собой.

— Что? — насторожился Тодоров.

— Нет, ничего, просто фамилия показалась знакомой.

— Чья фамилия?

— Вот... Колосов.

Она сделала паузу, и Антону показалось, что Филановская пытается унять дрожь в руках. Интересно.

— Дмитрий Сергеевич, — спокойно сказал он. — Это наш инженер здания. Разве вы с ним не знакомы?

— Нет! — почти выкрикнула Любовь Григорьевна, но тут же взяла себя в руки и добавила: — Наверное, он недавно работает. Иначе Саша познакомил бы меня с ним еще на новогодней вечеринке. Саша обычно знакомит меня с новыми сотрудниками.

— Да, — легко согласился Тодоров, делая вид, что ничего не заметил, — он работает недавно, всего месяц. Жаль, что вы незнакомы, он вам понравился бы. На редкость красивый мужчина, смуглый, темноглазый, очень привлекательный...

— Простите, — она с грохотом отодвинула стул и резко поднялась из-за письменного стола, — мне нужно зайти к маме, ей пора принимать лекарство.

Антон задумчиво посмотрел ей вслед. Значит, Колосов. Уж не его ли она так боится? И не поэтому ли старается убедить его, Антона, что письма ей пишет сын Юрцевича?

Филановская не закрыла дверь в кабинет, и до Антона донесся голос Тамары Леонидовны, декламирующей из Шекспира. Другой голос, менее звучный, подавал реплики, слов которых Антон разобрать не мог. Значит, сиделка на месте. Что это Любовь Григорьевна так озаботилась насчет лекарства? Сиделка и проследит, это ее обязанность. Значит, все-таки Колосов. Любовь Григорьевна сорвалась и под предлогом неотложного визита к маменьке взяла тайм-аут, чтобы собраться с мыслями.

Теперь из комнаты Тамары Леонидовны доносились уже три голоса, и Тодоров, воровато оглянувшись, вытащил из кармана мобильник.

— Нана, — вполголоса произнес он, прикрывая трубку рукой, — что ты знаешь о Колосове, кроме анкетных данных? Это наш новый инженер.

— Его Саша взял, — тут же ответила Нана. — Это какой-то его знакомый.

— Какой именно? Шеф ничего не объяснял?

— Без подробностей. Сказал только, что они познакомились, когда им с Андрюшкой было лет по одиннадцать или двенадцать, что-то в этом роде, он уже и сам точно не помнит. А в чем дело?

— Потом, — быстро прошептал он. — Ты меня ждешь?

— Я же обещала, — в голосе Наны Антон услышал улыбку. — А ты скоро?

— Боюсь, что нет. Мне предстоит серьезный бой с тетушкой.

— Удачи тебе, сыщик, — засмеялась она.

Спрятав телефон, Антон встал и прошелся по комнате. Ему всегда лучше думалось в движении. Братьям Филановским по тридцать шесть, скоро исполнится тридцать семь. Колосову — намного больше, лет пятьдесят. Конечно, он очень моложав и на этот возраст не выглядит, но Антон помнил его анкету и свое удивление этим несоответствием паспортных данных и внешнего вида. Стало быть, он старше братьев лет на пятнадцать, и когда им было по одиннадцать-двенадцать, Колосову стукнуло как минимум двадцать пять. Что у них могло быть общего? На какой почве они познакомились? Причем знакомство было явно запоминающимся, потому что спустя столько лет Александр Филановский счел его достаточным основанием для того, чтобы принять Колосова на работу. Может ли такое быть, чтобы тетка и бабка мальчиков об этом не знали? Маловероятно. Недаром Любовь Григорьевна сказала, что фамилия показалась ей знакомой. Значит, она знала о Колосове. Ну и почему она замолчала и испугалась? Надо дожимать, и дожимать прямо сейчас.

Голоса в комнате Тамары Леонидовны сделались громче, в них появились нотки раздражения и отчетливо стали слышны слова.

— Я не понимаю, почему в репетиционном зале посторонние! Мне мешают репетировать!

— Мама, ты не в репетиционном зале, ты у себя дома. Перестань валять дурака.

— Нет, я не дома! Я именно в театре! И здесь я всех знаю, а дома я не знаю никого, даже эту, ну... эту.

— Кого — эту?

— Ну, у кого я сейчас живу. Я ее не знаю.

— Мама, ты живешь со мной, я твоя дочь Люба. И ты сейчас находишься дома.

— Какая Люба? Я тебя не знаю. Поди прочь, не мешай нам репетировать.

Оглушительно хлопнула дверь, послышались быстрые шаги — Любовь Григорьевна возвращалась.

— Это невозможно!

Она тяжело опустилась на свое место за столом и обхватила голову руками.

— Она меня изводит, специально изводит. Так не бывает, чтобы она узнавала всех, кроме меня. Она просто притворяется, чтобы мне насолить. Вот ведь характер! Господи, меня прямо трясет...

Филановская открыла ящик стола, достала мензурку и флакон с сердечными каплями, долила немного воды из стоящего на подоконнике хрустального кувшина и залпом выпила. На худощавом запястье сверкнул под ярким светом люстры изящный золотой браслет с бриллиантами.

«Умно, — с насмешкой подумал Антон, — сбегала к матери, спровоцировала скандал и теперь с чистой совестью пьет свой валокордин, или корвалол, или что там у нее. Она же не может показать, что это имя Дмитрия Сергеевича Колосова произвело на нее такое сильное впечатление, вот матерью и прикрылась».

— Мы можем продолжать или вам нужен перерыв? — заботливо спросил он.

— Нет-нет, давайте продолжим.

Она снова потянулась к списку.

— Мы остановились на Колосове, — зловредно подсказал Тодоров, который хотел на всякий случай проверить свои впечатления.

Да, актрисы из Любови Григорьевны не получилось бы никогда, владеть собой она совсем не умела. Ей могло казаться, что она совершенно спокойна, но глаза и голос выдавали ее с головой.

— Да, — дрожащим голосом ответила она, делая вид, что усердно изучает перечень фамилий, — вот Степу Горшкова я видела... Ирины Игоревны не было, я специально про нее спрашивала, мне сказали, что она приболела...

Разговор постепенно вошел в рабочую колею, Любовь Григорьевна вспоминала минувший вечер, но ничего интересного Тодорову не поведала. Единственное, что показалось ему достойным внимания, — это наблюдения Филановской по поводу Елены, супруги Александра Владимировича. Кажется, она была чем-то расстроена и даже рассержена, во всяком случае, Любовь Григорьевна заметила, что с определенного момента Елена как будто избегала мужа.

— Впрочем, ей могло просто не понравиться, что Саша надолго исчез и бросил ее одну, — сделала она вывод.

— А он надолго исчезал?

— Ну, во всяком случае, Лена несколько раз подходила ко мне и спрашивала, не знаю ли я, где Саша.

— И где он был?

— Сначала он был с Андрюшей, им надо было поговорить. Потом Андрюша вернулся, а Саша снова куда-то ушел.

Об этом Тодоров и так знал. Филановский проводил душеспасительные беседы сперва с братом, потом с Катериной. Значит, ничего нового. Вот разве что Елена Филановская... Например, она заметила, как вызывающе повела себя Катерина по отношению к ее мужу, как пригласила танцевать и эротично прижималась к нему, а потом этот самый муж куда-то исчезает, причем некоторое время и Катерины в поле зрения не наблюдается. Что может подумать нормально мыслящая жена? Вот именно это она и подумала. А убить девчонку из ревности она могла? Надо будет сказать об этом Баринову, пусть разбирается.

— Спасибо вам, Любовь Григорьевна, — Антон спрятал список в папку. — У нас с вами есть еще одно дело, если вы не передумали.

И снова в глазах ее метнулся острым огоньком панический страх.

— Вы имеете в виду письма, которые мне пишет сын Юрцевича?

«Перестарались, мадам, с уверенностью в голосе, — мысленно хмыкнул Антон. — Слишком нарочито. Что вы мне этого несчастного сына пропихиваете? Уж кто-кто, а я-то точно знаю, что никаких писем он вам не писал».

— Я имею в виду письма, которые вам пишет неизвестный автор, — аккуратно поправил ее Тодоров. — Если вы все еще хотите, чтобы я его нашел, нам с вами нужно будет проверить одну вещь.

— Какую?

— Кто еще, кроме вашей матушки, вас и Юрцевича, мог знать о том, что произошло.

— Никто, — моментально ответила Филановская.

— Но вы же понимаете, что так не может быть, — мягко возразил Антон. — Например, был тот сотрудник КГБ, к которому ваша матушка обращалась за содействием. Ведь был?

— Но... да, конечно, — растерялась она. — Но неужели он стал бы рассказывать об этом кому-то еще?

— А почему нет? За давностью лет история утратила острую постыдность. Вы же не сомневаетесь, что Юрцевич мог рассказать обо всем своему сыну, а у того комитетчика наверняка тоже есть дети. Почему вы отвергаете мысль о том, что кто-то из них вам пишет?

— Как же вы не видите разницу? — раздраженно спросила Любовь Григорьевна. — Юрцевич чувствовал себя жертвой, он был умным человеком и не мог не понимать, почему его два раза посадили, хотя и по уголовным статьям. После перестройки быть диссидентом советского времени стало не стыдно и даже модно, и он с гордостью мог рассказывать об этом сыну. А тому, кто его посадил, чем гордиться? Тех, кто боролся с диссидентами, до сих пор гнобят на каждом углу. Они никогда в жизни не признаются, что делали это.

— Сейчас — не признаются, согласен с вами, — кивнул Антон, — ну а раньше, до перестройки? Вполне реально. Одним словом, Любовь Григорьевна, мне нужно узнать фамилию того комитетчика, тогда я смогу выяснить, есть ли у него дети и чем они занимаются. Мы должны проверить все возможные варианты.

— Откуда же я знаю его фамилию? — развела руками Филановская. — Мама никогда ее не называла.

— А если спросить у Тамары Леонидовны?

— Да вы с ума сошли, — зашипела она. — Как вы сможете объяснить ей свой интерес? Что вы ей скажете? Что кто-то пишет мне письма с угрозами? Этого еще не хватало! И не вздумайте даже. Я и про убийство Кати ей не говорила. У нее и без того с головой не все в порядке. Вы же видите, она все забывает, никого не узнает.

— Любовь Григорьевна, голубушка, я не собираюсь ни во что посвящать вашу матушку, она старый и не вполне здоровый человек, и ей такие переживания совершенно ни к чему. Уж поверьте мне, я найду пристойный повод задать ей этот вопрос, и она ни о чем не догадается.

Ему довольно быстро удалось уговорить Филановскую. Разумеется, никакой комитетчик из прошлого Антону не был нужен, он уже был почти уверен, что все дело в инженере Колосове, и именно для этого ему и хотелось побеседовать с Тамарой Леонидовной наедине.

Любовь Григорьевна привела его в комнату матери и позвала сиделку ужинать. Старая актриса полулежала на диване в красивом шелковом халате, держа в одной руке очки, в другой — толстый том Шекспира. Обстановка была такой, какую Антону доводилось видеть только в кино: старинная резная мебель, две раздвижные ширмы, разрисованные в восточном стиле, не то китайском, не то японском, и бесчисленные мягкие пуфики.

— О, я вас знаю, — без предисловий заявила Тамара Леонидовна. — Вы работаете у Сашеньки, да? Я вас вчера видела.

Ну вот, а дочь утверждает, что мать ничего не помнит и никого не узнает. Как бы не так!

— Совершенно верно, — лучезарно улыбнулся Антон. — Я прошу прощения за то, что прервал вашу репетицию. Вы не уделите мне немного времени?

— Разумеется, деточка. Вы присядьте, — она плавным жестом указала на стоящий рядом с диваном низкий пуфик, и Антон подумал, что с его длинными ногами ему будет, пожалуй, не очень-то удобно. — Это насчет бедной девочки? Ужасная история, просто ужасная! Кому понадобилось ее убивать?

Вот тебе на! А Любовь Григорьевна уверяла, что мать ничего не знает об убийстве. Как же так?

— Значит, вы уже все знаете? — спросил он, оглядываясь в поисках более удобного сиденья. Заметил стул, стоящий возле окна, пододвинул его поближе к дивану и уселся.

— Ну конечно, — Тамара Леонидовна понизила голос. — Люба мне ничего не говорит, но я сегодня разговаривала с Сашенькой, я сама ему позвонила, потому что удивилась, что уже полдня прошло, а он меня не поздравил с праздником. Сегодня же праздник, Восьмое марта, он должен был меня поздравить! А он все не звонит и не звонит... Вот я и позвонила, хотела ему выговор сделать. Оказалось, что он сидит у Андрюши. Он мне все рассказал. Бедный мальчик!

— Кто? — на всякий случай уточнил Антон.

— Ну конечно же, Андрюша! Он так любил эту необразованную дурочку... Впрочем, нет, наш Андрюша не мог ее любить, она совершенно ему не подходила, она не из нашего круга... Впрочем, не знаю... У меня иногда мысли путаются. Теперь жизнь стала такая непонятная, не то что прежде. В былые годы я всегда могла точно сказать, кто кого любит и кто кого разлюбил, а теперь... Теперь люди живут как-то по-другому, и чувства стали другими, и мысли. Вот про вас я знаю, что вы влюблены в нашу Наночку. Ведь так?

Антон опешил. Откуда она узнала? Никто в издательстве об этом не знает, никто не мог сказать Тамаре Леонидовне.

— Почему вы так решили? — осторожно поинтересовался он.

— Я старая, — тонко улыбнулась она, — я много в жизни повидала. И я видела, как вы на нее смотрите. Мне этого более чем достаточно. Я даже не спрашиваю у вас, права я или нет. Я знаю, что не ошибаюсь. И Любка его любила, я видела, — бросила она загадочную фразу. — Впрочем, это неважно.

«Моего отца, — подумал Антон. — Она говорит о Любови Григорьевне и моем папе. Значит, я тоже не ошибся».

— Ну, деточка? Так какие у вас вопросы?

Антон для порядка стал спрашивать о минувшем вечере, все больше убеждаясь, что Тамара Леонидовна вполне сохранна. Возможно, у нее и есть какое-то душевное заболевание, но на интеллекте и памяти оно не сказалось. Вот только свою дочь она почему-то не узнает, но, наверное, это и есть проявление той самой болезни.

Старая актриса оказалась куда более наблюдательной, чем Любовь Григорьевна, и во всем, что она говорила, Антон чувствовал неподдельный интерес к людям. Этого интереса у младшей Филановской не было, оттого она и замечала так мало. Она просто не видела окружающих, они были ей не нужны.

— О, у этой девочки так горели глаза — я думала, она все здание подожжет своим взглядом! Я спросила Наночку, кто это такая, оказалось, что это какая-то новая девочка, ее только-только приняли на службу. Вы подумайте, только-только приняли — и она уже успела влюбиться в Сашеньку! Да как! Стоило ему заговорить с какой-нибудь дамой, у этой девочки прямо пламя из глаз вырывалось. Не глаза, а настоящий огнемет, — с удовольствием повествовала Тамара Леонидовна.

Антон понял, что речь идет о Марине Савицкой. Странно. Обычно бывшие любовницы директора, придя на работу в издательство, ведут себя несколько иначе. Надо будет обратить на это внимание Олега Баринова. Кроме братьев Филановских, появляются еще двое потенциальных подозреваемых: Елена Филановская и Марина Савицкая.

— Потом я ее видела со Стасиком Янкевичем, — продолжала Тамара Леонидовна, — они о чем-то разговаривали, и так мирно все было, так мило, он, по-моему, за ней ухаживал даже, а потом что-то случилось.

— Что именно?

— Что-то страшное, — она выразительно округлила глаза. — Эта милая девочка изменилась в лице и куда-то убежала. А через некоторое время я снова их увидела, только с ними еще был Степа. Девочка была вся заплаканная, глаза опухшие.

— Вы ничего не путаете?

— Да ну что вы, деточка! Что я, Стасика не знаю? Это же он редактировал Андрюшину книжку. Он столько раз приезжал к нам на дачу, они с Андрюшей все сидели, что-то обсуждали. И Степу я хорошо знаю, он во всем издательстве единственный, кто умеет танцевать танго. Уж его-то я ни с кем не перепутаю. У него прекрасная танцевальная осанка, он так прямо держит спинку — просто загляденье!

Это было правдой. Антон знал, что Степан Горшков много лет занимался бальными танцами и даже завоевывал какие-то призы на первенствах страны. Пусть Баринов порасспрашивает всех троих, что у них там случилось такого «страшного». Ну вот, теперь можно и к главному перейти.

— А Колосова вы в клубе не видели?

Антон точно знал, что инженера на вечеринке не было. Когда ему передали приглашение, Дмитрий Сергеевич смущенно пояснил, что у него больная дочь и жена ни за что не оставит ее одну, а ему самому веселиться в такой ситуации неловко, да и неправильно, лучше он дома побудет. Но интересно, как отреагирует на его имя Тамара Леонидовна.

— Колосов? — тщательно подрисованные брови старой актрисы дрогнули, обозначая движение вверх, но так и остались на месте. — Я, кажется, такого не знаю. Впрочем, может быть, у вас есть фотография? Возможно, я помню его в лицо.

— Фотографии, к сожалению, нет. Но вы должны его знать, Александр Владимирович, ваш внук, недавно взял его на работу и сказал, что они с братом познакомились с Колосовым, когда им было примерно по двенадцать лет.

— Ну, деточка, мало ли с какими мальчиками дружили мои внуки, неужто я всех должна знать? Наверное, в школе вместе учились или в спортивной секции занимались, или во дворе бегали, а может быть, на даче.

— Да нет, Тамара Леонидовна, не могли они вместе учиться, Колосову было лет двадцать пять, когда мальчики с ним познакомились. Дмитрий Колосов. Ну? Не припоминаете? Красивый, смуглокожий, темноглазый.

Лицо Тамары Леонидовны внезапно просветлело.

— Вы сказали — Дмитрий? Такой красивый брюнет? Бог мой, так это же, наверное, Митя! Ну конечно, это Митенька. И мальчикам тогда было как раз лет двенадцать. Или одиннадцать... Или тринадцать... Погодите-ка, это было то лето, когда Григорию Васильевичу, моему покойному мужу, исполнилось семьдесят пять лет. Он девятьсот шестого года рождения, значит, это было... это было... — она нахмурилась и посмотрела в потолок, — ну правильно, в восемьдесят первом году. Значит, мальчикам было по двенадцать. У моего мужа день рождения в июле, и вся театральная общественность отмечала эту дату. Григория Васильевича уже не было в живых к тому времени, но его вклад в искусство театральной режиссуры неоценим... Впрочем, я отвлекаюсь. Ох, какой юбилейный вечер устроили в нашем театре! Вы не представляете! Сколько было цветов, правительственных телеграмм, какие актеры приехали! К юбилею восстановили старый спектакль, одну из самых удачных постановок Григория Васильевича, я играла главную роль, как и прежде, и вы знаете, деточка, мне никогда не удавалось сыграть ее с таким блеском, как в тот вечер. Словно сам Григорий Васильевич стоял за кулисами и помогал мне. Я еще долго была под впечатлением... Да, так о чем я?

— Колосов, — напомнил Антон. — Митя.

— Да, Митенька. Так вот, на другой день после юбилея я с мальчиками поехала на дачу. Поехали на машине, у нас тогда была белая «Волга»... или голубая? Нет, кажется, голубая появилась позже... Впрочем, неважно. Мы ехали на дачу, и погода была такая чудесная, солнечная, и настроение у всех было замечательное. Когда мы въехали в поселок, я пустила Сашеньку за руль.

— Как это? — изумился Антон. — Двенадцатилетнего мальчика?

— Ну а что такого? Я научила его водить машину, когда ему было лет девять, что ли, а может, и раньше. Сашенька был высоким мальчиком, ножки длинные, до педалей доставал, если сиденье придвинуть поближе, а на то, чтобы рулить, много ума не нужно. Андрюша, кстати, никогда этим не интересовался, я предлагала ему тоже поучиться, но он не захотел. А Саша очень хотел, и я его научила. Нет, вы не подумайте, я не давала ему машину и не разрешала ездить одному, но уж в поселке-то, где никого нет, одни дачные участки и лес... Там всегда было безопасно, вообще можно было ездить с закрытыми глазами. Я в окошко засмотрелась, Саша повернул к даче, немножко резко повернул, и вдруг оказалось, что он сбил человека. Вы представляете? Это был такой ужас, я так испугалась! Мы все выскочили из машины, бросились к нему, а он почти сразу встал и сказал, что ничего страшного, он только немножко ушибся. Вот.

— Что — вот? — не понял Тодоров.

— Это и был Митя.

— Колосов?

— Ну я уж не знаю, какая у него была фамилия, Колосов или еще какая-то, но звали его Митей, — сердито ответила Тамара Леонидовна. — Мы, конечно, начали хлопотать над ним, позвали в дом, я велела ему раздеться, осмотрела ушибы и ссадины, промыла перекисью, намазала йодом. Потом мы стали чай пить и разговаривать. Он меня узнал, конечно, и признался, что он мой большой поклонник, много расспрашивал о театре, о кино — одним словом, оказался прелестным собеседником. Не поймите меня превратно — я буквально влюбилась в него. А уж как он мальчикам понравился! Они от него не отходили. Особенно Сашенька. Вы знаете, он так переживал, что сбил Митю, и он изо всех сил старался ему понравиться, чтобы тот не заявил в милицию и у нас потом не было неприятностей, а уж когда понял, что Митя никуда заявлять не собирается, то проникся к нему огромной благодарностью. Ну и я тоже, что греха таить, старалась его обаять, ведь если бы он на нас заявил, виноватой оказалась бы только я, потому что пустила малолетнего ребенка за руль. Одним словом, мы чудно провели время. Я даже предложила ему остаться ночевать у нас и вместе провести воскресенье, комнат в доме много, он никого не стеснил бы.

— И что, он остался?

— Остался, представьте себе. Он сначала не хотел, но мальчики так упрашивали! Он их совершенно очаровал.

— И что было потом?

— Да ничего, деточка! Что могло быть потом? Мы прелестно провели время, жарили шашлыки на мангале, музицировали — у нас на даче стояло пианино, пели, ходили купаться на озеро, много смеялись. На другой день вечером Митя уехал, ему в понедельник надо было на работу. Вот и все.

— И больше вы не встречались?

— Нет, — она отрицательно покачала головой с тщательно уложенными волосами, — никогда. Я, конечно, дала ему наш номер телефона, ну просто из вежливости. Но он ни разу им не воспользовался.

И ни слова о Любе. То есть надо понимать

так, что Любови Григорьевны в те выходные на даче не было и сбитого машиной Митю она в глаза не видела и знакома с ним не была. Отчего же она так испугалась? И откуда ей может быть знакома его фамилия? Надо все-таки уточнить, только осторожно.

— Значит, вам он понравился?

— Да, очень. Чрезвычайно приятный юноша. И очень красивый.

— И мальчикам тоже?

— Ну да, я же вам говорю, они упрашивали его остаться.

— А вашей дочери?

— Любе? А ее там не было. Она осталась в городе, у нее было много работы.

Стало быть, не было. Совсем непонятно.

Москва, 1981 год

Она была уверена, что после такой унизительной и горько закончившейся истории с Сергеем Юрцевичем уже не сможет никого полюбить так, как отца своих племянников. Катило к сорока, Люба стала уважаемой Любовью Григорьевной, доктором наук, профессором кафедры, а мальчики, такие умненькие и такие самостоятельные, все не вырастали и не вырастали. Они почти не требовали внимания, все делали сами, но факт их наличия невозможно было уничтожить. Они жили с ней, они были ее подопечными, она не могла их бросить, и мужчин это пугало. Ладно бы только Люба, пусть и не красавица, и старовата, зато при положении, при карьере и очень состоятельной семье, мало того что с деньгами, но и с возможностями, которые в те времена ценились, пожалуй, куда больше дензнаков. Но дети! Мало находилось желающих завязывать серьезные отношения с женщиной, на которой висят двое подростков, к тому же вступающих в самый сложный и непредсказуемый переходный возраст. Периодически намечались какие-то поклонники, но быстро исчезали, испуганные Любиным жестким характером, а самые стойкие, не испугавшиеся характера, в конце концов пасовали перед детьми. Она махнула на себя рукой.

И вдруг появился Дима Колосов. Невообразимо красивый, молодой, неглупый, с таким же теплым взглядом, как у Юрцевича. Только глаза у них разного цвета, у Юрцевича были синие-синие, а у Димы — темно-шоколадные, почти черные. Люба влюбилась, но это было еще хуже, чем шесть лет назад, с Сергеем, потому что Дима был на пятнадцать лет моложе ее. Лежа с ним в постели, Люба об этом забывала, но стоило ей встать и начать одеваться, как она вспоминала о своем возрасте и горько сожалела о существующих в обществе предрассудках, не допускающих любовных отношений между молодыми мужчинами и женщинами в возрасте. «Если узнают, надо мной будут потешаться, будут указывать пальцем. Студенты меня просто изведут». Но на общественное мнение Люба готова была наплевать. Хуже другое: мать и племянники. Никаких племянников Дима не хотел и, хотя постоянно выражал готовность жениться на ней, каждый раз с сожалением добавлял:

— Если бы не твои пацаны, я другой жены для себя не искал бы. Мне чужие дети не нужны, я своих хочу.

Что же до Тамары Леонидовны, то народная артистка Филановская к общественному мнению прислушивалась и собственное реноме соблюдала. Люба даже подумать не могла о том, чтобы признаться матери: у нее есть молодой любовник. Сгноит. И что еще хуже — сгноит не только Любу, но и Диму. Вон с Юрцевичем как обошлась! И глазом не моргнула.

— Сволочь! Старая сволочь! — в бессильной ярости твердила Люба, прижимаясь к Диминому плечу. — Если бы ты знал, как я ее ненавижу! Если бы знал, какое она чудовище! Она по трупам пройдет, перешагнет и не поморщится. Хоть бы она сдохла поскорее.

— Ну ты даешь! — удивлялся Дима. — Неужели ты действительно так ненавидишь свою мать? Или притворяешься?

— Ненавижу, — честно отвечала Любовь Григорьевна.

— Чем же она так тебя достала?

Ну, уж этого она рассказывать не собиралась. Ни про диссидента Юрцевича, ни про свою стыдную любовь к нему, ни о том, как у нее на руках оказались двое племянников и как мать объясняла, почему нельзя отдавать их в детский дом. Сестра умерла, вот и все.

— Ты просто ее не знаешь, — уклончиво отвечала она. — Моя мать — страшный человек.

216

Она любила Диму Колосова не только за то, что каждый раз, занимаясь с ним любовью, умирала и вновь воскресала. С ним она позволяла себе быть искренней и не скрывать того, что скрывала от всех и всегда: своей ненависти к матери и племянникам. Как-то так получилось, что именно разница в возрасте сыграла здесь благотворную роль: Дима был настолько моложе, что Люба не боялась осуждения с его стороны. Как может такой молокосос посметь ее осуждать за подобное отношение к матери? Она старше, умнее, у нее больше жизненного опыта, она большего достигла в своей карьере, а он только недавно институт окончил и еще ничего толком не успел ни в работе, ни в личной жизни, так какое право он имеет ее судить?

А он и не судил. Он просто встречался с Любой и регулярно укладывал ее в постель. Она часто задавала себе вопрос: зачем ему все это? Зачем ему она, старая и некрасивая? Но ответа не находила. Вернее, ответ был: ему нравились деньги и возможности ее семьи, однако не нравились дети, и он ждал, когда ситуация с племянниками как-нибудь разрешится.

— Не переживай, — говорил Дима, — подождем еще несколько лет, твои пацаны закончат школу и пойдут работать, будут сами себя содержать, тогда я на тебе женюсь и ты родишь мне ребенка.

Но ей было тридцать девять, и ждать еще несколько лет она не могла. А вдруг рожать будет поздно? Вдруг что-то не получится? Тогда Дима ее бросит и уйдет к той, которая будет без проблем рожать ему детей. Если заводить ребенка, то только сейчас. И только от него, такого молодого, здорового и такого красивого и любимого. Но мать! Она этого не потерпит. Она ни за что не позволит дочери рожать вне брака и уж тем более не позволит ей, доктору наук и профессору, выйти замуж за двадцатипятилетнего мальчика. Она расправится с ним так же легко, как дважды расправлялась с Сергеем Юрцевичем.

— Мама не позволит, — отвечала Любовь Григорьевна. — Она не допустит, чтобы я вышла за тебя замуж.

— Ну что ты говоришь, Люба! Как она может не допустить? Ты что, вещь? Или маленький ребенок? Подадим заявление, распишемся — и все дела. Не будет же она тебя запирать в темной комнате и сажать на цепь, чтобы ты до ЗАГСа не дошла. Не выдумывай.

— Ты не знаешь ее, — твердила Люба. — Она — чудовище. Она способна на такое, что тебе и не снилось. Она может искалечить твою жизнь, и мою тоже.

Отчаяние нарастало так быстро, что Люба не справлялась сама с собой. Без Димы ей свет был немил, а ненависть к матери и племянникам душила ее так, что порой казалось: еще чуть-чуть — и задохнется, не сможет вобрать в легкие воздух и умрет.

И однажды она сказала, не слыша себя:

— От них надо избавиться. Тогда мы сразу поженимся, и я рожу ребенка.

— Ты о чем? — не понял Дима.

— От них надо избавиться, — с тупой настойчивостью повторила Люба. — Я больше не могу. Я не выдержу. Пусть они умрут. Все.

Проще всего было устроить пожар на даче. Дом деревянный, проводка старая, проблем не будет. Двое хулиганистых подростков чего только не учудят, например, что-нибудь не то или не так включат в электрическую розетку или будут тайком от бабушки курить и не затушат сигарету... Несчастный случай. Никто ни о чем не догадается. Не обязательно, чтобы все сгорело дотла, вполне достаточно, если Тамара Леонидовна и мальчики умрут от отравления угарным газом.

— Ты же инженер, вот и придумай, как все сделать, чтобы они не выскочили на улицу раньше времени. Пусть задохнутся. Я нарисую тебе план дачи, расположение комнат, дверей и окон, а дальше ты уж сам решай. В конце концов, ты — мужчина.

Люба не очень понимала, что думает по этому поводу Дима Колосов, но ей казалось, что он согласен. Он смотрел нарисованный ею план, задавал вопросы, что-то уточнял — одним словом, вел себя спокойно и деловито и ни словом не упрекнул ее в бесчеловечности замысла. Она была уверена, что нашла в его лице единомышленника.

В ближайшие выходные, когда не нужно было идти на работу, Дима собрался поехать на дачу, чтобы осмотреться на месте. Люба написала ему адрес и подробно объяснила, как найти дом.

Всю субботу она сидела дома и ждала его звонка. Но Дима не позвонил ни в субботу, ни в воскресенье. Объявился он только в понедельник. Люба с трудом узнала своего возлюбленного: перед ней стоял совершенно другой человек. Чужой. Отстраненный.

— Ну как? — с тревогой спросила она. — Как ты съездил? Почему сразу не позвонил? Я же волнуюсь, жду...

— Ты — чудовище, — холодно произнес он. — Каким я был идиотом, когда верил каждому твоему слову! Ты страшный человек, Люба. Из-за тебя я чуть грех на душу не взял.

— Да что случилось?! Что произошло?

— Ничего. Я познакомился с твоей матерью и твоими племянниками. Я не знаю, кем надо быть, чтобы так люто ненавидеть их. Они заслуживают только любви. Они чудесные, добрые, открытые, они так любят людей, они излучают столько радости! И если ты этого не понимаешь, то это твое личное горе. Больше мы с тобой не увидимся. Какое счастье, что ты не успела родить мне ребенка. Это была бы такая же маленькая гадина, как ты сама.

Мать с мальчиками вернулась в Москву через неделю. За эту неделю Люба, и без того худощавая, похудела и почернела, став похожей на старуху.

— Что с тобой? — с тревогой спросила Тамара Леонидовна. — Ты больна?

— Да, нездоровится что-то, — ответила Люба. — И работы много, устала.

— Ну, ты приляг, а мы тебе сейчас такое расскажем! Ты представляешь...

Люба слушала о том, как Саша сел за руль, неосторожно повернул за угол, не сбросив скорость, и сбил человека, и как они этого человека лечили все втроем, и как потом пили чай, жарили шашлыки и ходили купаться, и каким чудесным он оказался... Слушала и твердила про себя: «Ты всегда была красавицей и умела пускать пыль в глаза, вот и Димку ты обманула своей приветливостью и доброжелательностью. Теперь он меня бросил, и все из-за тебя. Знал бы он, какая ты на самом деле! Я тебя ненавижу! За все ненавижу, за Надю, за Сергея, за Диму, за мальчишек. Это все ты! Господи, какая же ты сволочь! Ну почему ты постоянно разрушаешь мою жизнь? Почему ты никак не сдохнешь и не оставишь меня в покое?»

Москва, март 2006 года

Любовь Григорьевна закрыла дверь за Антоном и вернулась в комнату. Присела на диван, откинула голову на высокую спинку, прикрыла глаза. Ну вот, все кончено. Случилось самое страшное. Письма писал не сын Юрцевича, их присылает Дима. Наверное, у него большие материальные затруднения, он прослышал о том, что Александр Филановский стал состоятельным человеком, владельцем издательства, и решил поиметь с этого все, что возможно. Сначала устроился к нему на работу, а теперь пытается шантажировать ее, Любу. Что будет, если мать и племянники узнают о том, что она собиралась их убить? Даже представить себе невозможно. Страшно.

Антону она, конечно, ничего не сказала, сделала вид, что впервые слышит имя Дмитрия Сергеевича Колосова. Пусть ищет того комитетчика, пусть разбирается... Пусть. Главное — она теперь знает, откуда исходит опасность. И нельзя никого в это посвящать, нельзя никому сказать, попросить помощи. Невозможно признаться в том, что замышляла убить собственную мать и племянников.

Она найдет возможность поговорить с Колосовым. Сама. Пусть скажет, что ему нужно. Вернее, сколько. Может быть, не так уж много, и она сумеет достать эти деньги, ни в чем не признаваясь Саше. В крайнем случае продаст что-нибудь из подаренных им украшений, скажет, что потеряла или украли. Придумает, что сказать. Главное, разобраться с Колосовым и заставить его молчать.

* * *

Следователь Огнев очень хотел в отпуск. Плевать, что начало весны, какая разница, если уже куплены путевки и оплачены билеты, и жена целыми днями трясет дома нарядами, прикидывая, что взять с собой, и мечтая о первом за пять лет супружеской жизни совместном отдыхе. Виктор Евгеньевич Огнев жену любил и о поездке мечтал не меньше, чем она. И вообще, устал он что-то... А тут дело об убийстве свалилось. Да такое склочное, что за неделю, пожалуй, не раскроешь, а до отпуска аккурат неделя-то и осталась. Начальство у Виктора Евгеньевича зловредное до невозможности, с него станется в отпуск-то и не отпустить, пока дело не закончишь и в суд не передашь. Справедливости ради надо бы отметить, что начальство зловредность свою проявляло не ко всем подчиненным, а исключительно к тем, кого недолюбливало, и Огнев в этом не особо длинном списке стоял на первом месте. В крайнем случае — на втором. И было за что. Не выказывал Огнев должного почтения к старшим и более опытным товарищам, полагая по молодости лет, что знает все куда лучше и прекрасно справится без всяких там советов и указаний. Однако справлялся он не так чтобы очень...

В деле об убийстве Екатерины Шевченко версий было три. Первая: убийство совершено случайным преступником, возможно, с целью ограбления или изнасилования. И хотя у потерпевшей, как выяснилось, ничего не взяли, и сумочка оказалась на месте, и все ее содержимое в целости, но это ни о чем не говорит, потому как брать-то там было нечего: ни денег, ни ценностей. В уголовном праве это называется ошибкой в объекте. Девушка видная, красивая, вот и подумал залетный негодяй, что у нее в сумочке может найтись что-нибудь интересное, а на шее, на пальцах и в ушках — что-нибудь ценное. Март, холодно, под шапкой, шарфом и перчатками не больно-то разглядишь, есть там что или нет. Такое убийство можно раскрывать до второго пришествия и результата не получить.

Вторая версия опиралась на предположение о том, что девушку убили по личным мотивам, из ревности например, и тут очень кстати подвернулся сожитель покойной, некий господин Филановский Андрей Владимирович, который, собственно, труп якобы и обнаружил, и милицию вызвал. Знает следователь Огнев эти якобы обнаруженные трупы, навидался. Сначала сами убивают, а потом делают вид... И главное, объяснения у этого Филановского — хоть стой, хоть падай! Были на вечеринке, возвращались поздно, на обратном пути поссорились (обратите внимание, господа хорошие!), потерпевшая пошла домой, а ее сожитель, пребывая в чувствах весьма расстроенных и огорченный донельзя, домой не пошел, а отправился прогуляться, дабы успокоить нервную систему и привести эти самые чувства в порядок. Возвращаясь часа через три (о как! Не долго ли гулял, успокаивая нервы, сожитель-то?), вошел в подъезд и наткнулся на тело любимой. Во какая история! Только кто ж в нее поверит? Дураков нет. Тут тебе и ссора, то есть мотив, и возможность (поздний вечер, практически глубокая ночь, люди по подъезду не шастают, спят в своих кроватках). Ну да ладно, Филановского допросили сразу же и дома оставили, для задержания оснований нет, однако ясно дали понять, что подозрения на его счет очень и очень сильны, пусть пока попарится, о житие своем бренном подумает. Хилый он какой-то, хоть и атлетического сложения, а по менталитету — натуральный хлюпик, такой долго не продержится, расколется, если виноват. И тут есть реальный шанс все быстро закончить. Писанины по делам об убийстве, конечно, выше крыши, да пока экспертизы все придут — тут за неделю дело до обвинительного заключения, само собой, не довести, но преступление-то будет раскрыто, обвинение предъявлено, и при таком раскладе начальство вполне может пойти навстречу и передать уголовное дело другому следователю, а Огнева отпустить в отпуск.

Третья же версия была самой, на вкус Виктора Евгеньевича, спорной. Проблемной. С одной стороны, с такой версией, если ее крепко подпереть доказательствами, дело на сто процентов заберут или наверх, или к более опытному следаку, и тогда путь к отдыху будет открыт. Ура! Но с другой стороны, если не заберут, то придется валдохаться с ним до морковкиного заговенья. Шанс раскрыть, безусловно, есть, но возни... Суть же версии состоит в том, что Екатерину Шевченко застрелили, чтобы доставить неприятности родному брату ее сожителя, некоему Александру Филановскому, владельцу издательства «Новое знание», человеку состоятельному и обладающему непростым характером. С таким характером, да еще подкрепленным недюжинной энергией, издатель Филановский, защищая любимого брата-близнеца — первого кандидата в подозреваемые, поднимет огромную волну, на гребне которой тоненькое пока еще уголовное дело взмоет к небу и плавно опустится на стол другого следователя, что, собственно, и требовалось устроить. А уж если выяснится, что среди недоброжелателей Александра Владимировича числятся заметные фигуры, то и волны не понадобится, все сделается само собой. Только хотелось бы побыстрее, чтобы путевка не пропала.

В свете указанных соображений Виктора Евгеньевича очень порадовало известие о пропаже пистолета «ИЖ-71»: если Шевченко застрелили из него, то о случайном преступнике можно не беспокоиться, то есть отпадает самый тухлый вариант, при котором и дело не заберут, и в отпуск не отпустят. На месте преступления нашли стреляную гильзу от пули девятимиллиметрового калибра, но радоваться пока рано, потому что калибр 9 миллиметров не только у «ИЖ-71», но и у «макарова», на базе которого он сделан. Эксперт сказал, правда, что у «макаровских» и «ижевских» патронов длина разная, и та гильза, которую на месте преступления нашли, точно не от «макарова», а от «ИЖ-71», но этих «ИЖей» по Москве — немерено, они на вооружении у частных охранных агентств, и пока баллисты, исследовав найденную гильзу и извлеченную из тела убитой девушки пулю, ответ не дадут, нельзя быть уверенным в том, что Шевченко убили из оружия, похищенного в издательстве.

Однако же Огнев в случайные совпадения верил слабо, и поскольку пистолет был похищен 7 марта, а убийство произошло в ночь с 7-го на 8 марта, то девятьсот девяносто девять шансов из тысячи, что похитил его именно убийца. Как раз с целью убийства и похитил.

Оперативник Олег Баринов позицию следователя Огнева разделял, но не в полной мере. Ему тоже очень нравилась версия об убийстве с целью подставить Александра Филановского, но он категорически не хотел, чтобы дело забирали «наверх». Если другому следователю той же межрайонной прокуратуры передадут — тогда ладно, а вот если подключится город или, что еще хуже, Генеральная, тогда задействуют и других оперов, из МУРа или из МВД, и он, Олег, будет у них на посылках, как золотая рыбка у алчной старухи. Быть на посылках Баринов не хотел и имел для этого основания более чем веские. Он был уверен, что у него есть реальная возможность раскрыть убийство Екатерины Шевченко. Это же несказанная удача: в службе безопасности издательства обнаружился давний знакомец, Антон Тодоров, бесценный кладезь оперативной информации, выказывающий полную готовность рассказать все, что знает, и помогать, чем может. Свой человек в стане врага! Дело получится громким, уже днем в новостях репортаж был, ну как же, брат известного издателя фигурирует, и Баринов не мог пожертвовать возможностью оказаться человеком, раскрывшим это «резонансное» убийство. Тут костьми придется лечь, но не дать делу уйти «наверх», а для этого надо работать быстро, чтобы как можно скорее появился реальный подозреваемый. Тодоров назвал несколько имен, и Баринов готов был душу отдать за то, чтобы убийцей Кати Шевченко оказался кто-нибудь из них: никаких известных фамилий, ради этих издательских крыс вышестоящие инстанции подключаться не станут. Скорость нужна и для того, чтобы директор издательства не успел включить свои связи. Одним словом, быстрота и натиск — вот наш девиз.

Версия о причастности к преступлению Андрея Филановского у Олега Баринова тоже отторжения не вызывала, особенно если принять во внимание то, что рассказал ему Тодоров. Ну и штучка была покойница, право слово! С одним братом спит, другому глазки строит, пышным бюстом прижимается и всячески навязывается. Но тут, между прочим, еще одна заинтересованная личность прорисовывается: жена Александра Филановского. Неприятности мужу ей устраивать незачем, а вот избавиться от соперницы она вполне могла. Хотя Тодор говорит, что соперниц этих у Елены Филановской была тьма-тьмущая, и ни на одну из них она так болезненно не реагировала, с чего бы ей в этот раз взбрыкивать? А с того, что про прежних соперниц она могла и не знать, а тут все на виду, на глазах у честного народа, все издательство потешается, глядя, как Екатерина пытается клеиться к директору. В общем, если мотивом убийства была ревность, то подозреваемых уже двое — жена Александра Филановского и его брат-близнец, да, чуть не забыл, еще и новенькая какая-то, по фамилии Савицкая, бывшая любовница, и за всех троих директор издательства будет драться до последнего, не давая доказать их вину, так что эту версию нужно будет отрабатывать тихонько-тихонько, а основной акцент сделать на врагах издателя, возжелавших его подставить и втянуть в громкое уголовное дело. Уж врагов-то своих он спасать не кинется.

* * *

Виктору Евгеньевичу Огневу очень нравилось собственное отражение в зеркале. С лицом завзятого отличника, тщательно расчесанными на косой пробор густыми блестящими русыми волосами, в ладно сидящем синем прокурорском мундире, он словно так и просился на плакат «На страже законности». Ему удалось хорошо выспаться, а накануне он даже сумел найти нужные слова, чтобы аккуратненько предупредить жену о возможных осложнениях с грядущим совместным отпуском, и она, хоть и расстроилась, но по крайней мере не кричала, не плакала и не упрекала его. Посему настроение у Виктора Евгеньевича было вполне радужным.

А вот сидящий перед ним Олег Баринов выглядел отвратительно: под глазами мешки, рубашка несвежая, волосы немытые. Впрочем, чего удивляться, он дома не ночевал, и не только вчера, но и сегодня, информацию собирал, землю рыл. Собачья работа у оперов, право слово!

Но ночь без сна Баринов провел явно не зря, информации он нарыл — море разливанное. И по этой информации выходило, что и Александра Филановского вполне можно считать подозреваемым. Ну и раскладец!

— Получается, братцы бабу не поделили, — констатировал Огнев. — Бывает.

— Да нет же, — горячился Олег, — издателю эта девица сто лет не нужна, в том-то и дело. А она на него вешается. То есть вешалась.

— Это он сам тебе так сказал? — прищурился Виктор Евгеньевич.

— Ну... и он сам сказал, и другие подтверждают.

— Другие — это кто, к примеру?

— К примеру, секретарша Филановского.

— Ну ты даешь! — расхохотался следователь. — С каких это пор у нас в стране секретарши говорят правду? Да они все поголовно либо спят со своими шефами и выгораживают их, либо люто ненавидят и клевещут при каждом удобном случае.

— Да ты ее не видел, — возразил оперативник. — Старая бабка, серьезная, деловитая. Не может Филановский с ней спать, она ему в матери годится. И ненавидеть его ей не за что, он ее внука на работу взял.

— Ладно, — кивнул Огнев, — допрошу ее, если она такая серьезная и деловитая. Кто еще?

— Мужик один из службы безопасности. Нет, на самом деле даже несколько. Один видел, как Шевченко рыдала в комнате охраны после того, как ее Филановский отшил, другой видел, как она там потом отсиживалась, кофе пила, а третий ее оттуда выдворил и домой на машине отправил. Ну и дежурная смена охраны, само собой, в полном составе видела, как она плачет.

— Откуда известно, что потерпевшая рыдала из-за Филановского? — нахмурился следователь. — Может, у нее живот заболел или ноготь на руке сломался. Она кому-нибудь рассказывала?

— Не, не рассказывала, — помотал головой Олег, — тем, кто находился в дежурке, она сказала, что ногу подвернула, но у нас есть еще один свидетель, который видел, как она впала в ярость, когда поняла, что ей не удастся повидаться с директором издательства. А директор от нее прятался, секретарше велел говорить, что его нет или он занят, а потом вообще дверь в приемную запер, с понтом, типа ушел и не вернулся.

— Все на косвенных, блин, — вздохнул Виктор Евгеньевич. — Ну как так можно работать? Ладно, всех допрошу, оставляй список. А по оружию что?

Оперативник поморщился и безнадежно махнул рукой:

— Да бардак там у них. Кто угодно мог зайти в дежурку. Якобы служба безопасности с этим борется, но они все равно нарушают. Дисциплины — ноль. Ты представляешь эту головную боль: установить по минутам, кто из сотрудников издательства где находился примерно в тот период, когда пропало оружие. И еще посетителей всех перетрясти, которые в это же примерно время находились в издательстве. Ладно бы еще эти охламоны могли точно назвать час и минуту, когда пистолетик увели, так нет же! Они и спохватились-то не сразу. Так что нарисовался период где-то с шестнадцати двадцати до восемнадцати часов. А около восемнадцати как раз весь личный состав уходил с работы и выдвигался в сторону клуба, где намечалась праздничная вечеринка. То есть все сотрудники издательства шли через первый этаж, и любой мог заглянуть в комнату охраны и попасть на тот счастливый момент, когда дверь открыта, а внутри — никого.

— Это мы год будем возиться. А у меня отпуск...

Виктор Евгеньевич задумчиво посмотрел в окно, и увиденное за стеклом тяжелое серое небо трудового энтузиазма ему не добавило.

— Слушай, — медленно проговорил он, — а

может, мне закрыть обоих Филановских? Пусть посидят в камере, подумают. С судьей я договорюсь, у меня с ней отношения хорошие, всегда полное взаимопонимание.

— Обоих? — Баринов ушам своим не поверил. — У тебя что, есть основания?

— Ну, во-первых, основания всегда есть. Мало ли что люди говорят, нельзя же всему верить. Это сейчас Александр Филановский от потерпевшей прятался, а что между ними раньше было, ты достоверно знаешь? Вот именно. И никто не знает. Может, у них было что-нибудь эдакое, а потом он решил от нее отвязаться, а она не отвязывается никак. Вот он и решил проблему, так сказать, кардинально. Может, она беременная была, а ему это ни к чему. Вскрытие покажет. И потом, откуда я знаю, может, эти братцы-акробатцы сговорились избавиться от девицы и устроили спектакль, при котором у обоих нет алиби, зато есть мотивы и возможности. Они оба причастны и рассчитывают на то, что это никому в голову не придет.

— А что «во-вторых»? — спросил Олег, предчувствуя недоброе.

— А во-вторых, в отпуск мне надо ехать вместе с женой, понял? Если я закрою обоих братцев-кроликов, то у меня дело точно заберут, еще и выговор влепить могут. Но выговор-то — хрен с ним, переживу. Главное — отпуск с женой проведу, а то пять лет как женаты, а вместе ни разу не отдыхали. Это что, по-твоему, нормально?

— Ненормально, — согласился Баринов, хотя на самом деле ничего особенного в таком положении не видел. Он тоже ни разу вместе с женой не отдыхал, правда, женат Олег был всего год. Однако же перспектива передачи дела другому следователю его отнюдь не радовала, и надо было попытаться найти аргументы, чтобы разубедить Виктора. — Витя, если ты закроешь Александра Филановского, его адвокаты тебя с какашками съедят, меня предупредили. Знаешь, какие мне фамилии называли? Я чуть со стула не упал. И все у него в дружбанах ходят. Тебе нужны эти неприятности?

— Мне отпуск нужен, — упрямо набычился следователь.

— А мне нужно красивое и оперативное раскрытие. Ну Вить, ну будь человеком, а? Ведь сам же понимаешь, что Александр Филановский — версия тухлая. С его-то деньгами и возможностями он уж как-нибудь нашел бы себе оружие, а не стал бы тырить его в собственном издательстве. И потом, я разговаривал с начальником службы безопасности издательства, она директора знает с детства, так вот она уверенно показывает, что у братьев никогда не было ни единого конфликта из-за баб. Ни разу такого не случалось, чтобы им одна и та же баба понравилась. У них вкусы разные. Вить, я вчера весь день с людьми разговаривал, потом всю ночь информацию сортировал, так и эдак прикидывал. Филановского подставили, это точно.

— Которого? — хмуро буркнул Огнев. — Сожителя потерпевшей или директора издательства?

— Да обоих же! Сожитель — первый подозреваемый, директор — второй, потому что потерпевшая их связывает. С одним она жила, другому глазки строила. Классический треугольник. Замажь дерьмом одного брата — автоматически оказывается замазанным и второй.

— Но для этого, дорогой мой Олег, нужно, чтобы об этом треугольнике знал убийца. У человека должен быть собственный мотив напакостить одному из братьев или обоим сразу, это раз, он должен знать о том, что между братьями мотыляется красивая бабенка, это два, и у него должна быть возможность похитить пистолет, это три. Ты гарантируешь, что в течение шести дней вычислишь такого человека? Нет, шесть дней много. Даю четыре. Мне еще нужен резерв времени, чтобы в случае чего выкинуть какой-нибудь фортель и передать дело. За четыре дня управишься?

— Ну и сволочь ты, Витя, — горестно вздохнул Баринов.

— Сволочь, — с явным удовольствием подтвердил следователь. — И уж если ты так рвешься в бой ради красивого и оперативного раскрытия, то не забудь о ревности. У нас еще есть жена Александра Филановского и его брошенная любовница, которая, между прочим, тоже, как известно, рыдала на вечеринке. Черт, не уголовное дело, а сплошные бабы, рыдающие от неразделенной любви к директору издательства. Сколько человек с тобой по этому делу работают?

— Трое.

— Кто старший?

— Ну я. И что?

— Да ничего, Олежка, ничего. Дели работу-то. Господь велел делиться, как говаривали братки времен поголовного рэкета. Не тащи все сам, ты ж надорвешься. У нас пять версий: Андрей Филановский, Александр Филановский, оба брата, бабская ревность и подстава, тебе все пять не потянуть одному. Уйми честолюбие, дай ребятам поработать.

Совет, который дал следователь оперативнику, был совершенно правильным, но абсолютно бесполезным. Унять честолюбие Олега Баринова не мог никто, в том числе и он сам. Он так давно мечтал о лаврах победителя, о том, как раскроет громкое убийство сам, без помощников, как в кино. И вот теперь волею счастливого случая у него появилась такая возможность, ибо он очень рассчитывал на помощь и поддержку Антона Тодорова, хорошего сыскаря в прошлом и обладающего огромным массивом информации в настоящем. Конечно, по большому счету, это будет не единоличное раскрытие, но ведь в отделе никто не узнает про Тодора... А вся слава достанется ему, Олегу Баринову.

* * *

Следователь Огнев все никак не мог отделаться от ощущения, что фамилию Филановского он уже слышал раньше. Промаявшись почти до конца рабочего дня, он все-таки не выдержал и зашел в соседний кабинет к коллеге.

— Тебе фамилия Филановский что-нибудь говорит?

— А это кто? — спросил коллега, не прерывая сосредоточенной работы на компьютере.

— Директор издательства «Новое знание». Слыхал о таком?

— А как же, — коллега оторвался от экрана, протянул руку к висящей на стене полке и снял оттуда затрепанную книжицу. — Вот, настольная книга следователя. Словарь блатной музыки. У тебя небось тоже такой есть. Это «Новое знание» еще в начале девяностых одним из первых стало издавать словари уголовного жаргона. А тебе зачем?

— Да так, — смущенно пожал плечами Виктор Евгеньевич. — Он у меня по делу проходит, а фамилия кажется знакомой.

— Ну, в телевизоре, наверное, слышал, я пару раз его интервью смотрел.

— Нет, я не видел... Где же я про него слышал-то? Может, в газете читал? Вот ведь засело в голове. У кого бы еще спросить?

— Сходи к Мыколе, — посоветовал коллега. — У него не память, а мусоросборник, он там всякую нечисть годами хранит.

Огнев совет оценил по достоинству. Николай Пилипенко, которого в прокуратуре звали не иначе как Мыколой, обладал феноменальной памятью, но почему-то только на имена и даты, которые не касались непосредственно его самого. При этом он мог совершенно забыть о дне рождения тещи или о том, что обещал кому-то позвонить.

Мыколу Огнев отыскал в буфете: помимо феноменальной памяти, советник юстиции Пилипенко обладал еще и феноменальным аппетитом, граничащим с прожорливостью.

— Филановский? — Мыкола наморщил лоб и
завел глаза к потолку, несколько секунд сосредоточенно дожевывал кусок куриной ноги, потом взгляд его просветлел. — Было дело, года
два назад. Скандальная история. Этот Филановский какие-то заумные теории развивал, лекции
читал...

— Погоди, — прервал его следователь, — ты
о каком Филановском говоришь? Об издателе?

— Нет, издатель — это брат, не перебивай.
Так вот, на Филановского заяву написали, обвиняли в попытке изнасилования. К нему на лекции-то в основном женщины ходили, причем
самого разного возраста и семейного положения, мужиков совсем мало было, и девки, которые помоложе, поголовно в него влюблялись.
А он этим и пользовался, крутил ими как хотел.
Короче, — Мыкола ножом и вилкой аккуратно
отделил от кости последний кусок мяса и отправил в рот, — с одной девицей он обломался, думал, что дело уже на мази, а она — в отказ и заяву написала. Ну, тут как раз брат-издатель нарисовался, со следователем общий язык быстро
нашел, и дело замяли. В прессу ничего не просочилось.

— А ты откуда все это знаешь?

— Так из Интернета. Туда-то успели слить.
Правда, братец-издатель и там постарался, денежжек дал — и все убрали, но дня три провисело.

— Спасибо, Мыкола, — задумчиво проговорил
рил Виктор Евгеньевич.

Значит, Андрей Филановский, в принципе, способен проявить агрессию по отношению к женщине, особенно если что-то пошло не так, как ему хочется. Мог ли он, поссорившись с подругой, застрелить ее? Да запросто! Правда, для этого нужно, чтобы ссора случилась раньше, чем он украл пистолет, а получается, что пистолет пропал перед корпоративной вечеринкой в клубе, а поссорился он с Екатериной Шевченко уже после, когда они возвращались из клуба домой. Так, во всяком случае, утверждает сам Филановский, а у Шевченко теперь уж не спросишь. Может быть, та ночная ссора была всего лишь продолжением конфликта, который начался раньше, накануне или вообще несколько дней назад? В этом надо покопаться.

Закончив кое-какие дела, следователь Огнев настроился на допрос Андрея Филановского, которого вызвал в прокуратуру. Виктор Евгеньевич уже успел составить представление о сожителе потерпевшей: смазливый хлюпик, морочащий людям головы идиотскими теориями и гребущий немалые деньги за свои псевдосеминары, знаем мы этих целителей человеческих душ, что ни месяц — жалобы в прокуратуру приходят то на мошенничество, то на незаконное врачевание. С момента преступления и последовавших за ним осмотра квартиры, первого допроса и изъятия одежды прошло почти два дня — вполне достаточно для такого слюнтяя, чтобы мозги на место встали. Таким, как он, стоит одну ночь поволноваться, как они окончательно теряют человеческий облик, а таких ночей у Андрея Филановского было целых две.

Однако, к удивлению Огнева, Андрей Филановский выглядел вполне пристойно. Правда, небрит, но все остальное на потерю человеческого облика как-то мало походило. И, к неудовольствию следователя, допрашиваемый был хоть и печален, но абсолютно спокоен. Никакой нервозности и уже тем паче ни малейшей агрессивности. Не орет, не требует, чтобы его прекратили вызывать в прокуратуру и задавать одни и те же вопросы по второму разу, не угрожает самыми лучшими адвокатами, которых может нанять его брательник, — в общем, ведет себя странно. Те, кто виновен, обычно стараются продемонстрировать праведное возмущение незаконными действиями правоохранительных органов, а уж те, кто невиновен, — тем более, а этот сидит молча, смотрит прямо, но без вызова в глазах, и на лице такое безграничное терпение, как у хронических больных в очереди на прием к врачу, которые давно уже привыкли, что народу всегда много и сидеть в этой очереди приходится регулярно.

— Итак, гражданин Филановский, давайте снова вернемся к ночи убийства. Вы были в клубе, так?

— Совершенно верно.

— Когда вы туда приехали?

— После девяти вечера. Я время не засекал. Ближе к десяти, кажется.

— Вы приехали с потерпевшей?

— Да, я приехал с Катей.

— И с ней же и уехали, — на всякий случай уточнил Огнев.

Все это он уже слышал, когда Филановского допрашивали после обнаружения трупа, и теперь Виктор Евгеньевич просто тянул резину, выискивая в разговоре дыру, в которую можно было бы протиснуться с каверзными вопросами.

— Да, мы уехали вместе. Это естественно, ведь Катя жила у меня.

— Как давно вы сожительствовали?

— Больше года.

— Из-за чего конфликтовали?

— Да мы, собственно, и не конфликтовали с ней, — Филановский пожал плечами. — Что нам делить?

— Ну, например, вы жениться не хотели, а девушке замуж пора. Нет?

— Нет. Кате нужен был совсем другой муж, она просто жила со мной и ждала, когда на горизонте появится кто-нибудь подходящий.

Ага, уже тепло. Значит, Филановский знал, что потерпевшая его не любит и использует как перевалочный плацдарм. Оскорбленное достоинство, ревность... Хорошо!

— И вот он появился, — вкрадчиво произнес следователь.

— Пока нет.

Н-да, разговорчивым этого типа никак не назовешь.

— Тогда из-за чего вы начали ссориться по дороге домой?

— Катя говорила гадости о моем брате. Мне это было неприятно. Я просил ее прекратить, но она все больше входила в раж... Виктор Евгеньевич, вы можете спросить об этом у водителя, который нас вез. Он все слышал.

— Я спрашивал, — улыбнулся Огнев. — С его слов получается, что ваш брат ухаживал за вашей подругой, причем с самыми серьезными намерениями, она вам об этом рассказала в машине, и вам это очень не понравилось. Так было?

— Да, так. Только мне не понравилось не то, что брат за ней приударил, а то, что Катя говорила неправду.

— То есть? — вздернул брови следователь.

— Саша не делал этого. Он не мог.

— Откуда такая уверенность?

— Я знаю Сашу. Это не в его правилах. Он никогда не ухаживал за моими подругами, а я никогда не засматривался на его женщин. Это невозможно в принципе, понимаете?

— Не понимаю. В принципе возможно все, это я вам говорю как следователь. А вы, Андрей Владимирович, судя по всему, очень привязаны к брату, да?

— Да. Очень. Мы близнецы, и, как все близнецы, мы очень близки.

— Понимаете ли, какая штука получается, — Огнев изобразил замешательство и раздумье, — Екатерину Шевченко убили или вы, или ваш брат, или кто-то из вас двоих по обоюдному сговору. Других вариантов у нас нет. Вот смотрите, Андрей Владимирович, — в этом месте следователь добавил в голос доверительности, — допустим, ваш брат действительно приставал к вашей девушке и она отвечала ему взаимностью. Такое вполне может быть, он внешне мало чем отличается от вас, вы же близнецы, только у него денег намного больше. Выгодная партия, не правда ли? В этом случае у вас появляется мотив: ревность. Допустим, она ему отказала и нажаловалась вам. В этом случае у вас тоже есть мотив: вы ей не поверили и рассердились на то, что она пытается очернить вашего любимого брата и фактически делает все, чтобы вас поссорить. Брат вам дороже, вы сами это признаете. Вы вспыхнули, разгневались... ну и так далее. Допустим также, что Екатерина отказала вашему брату и пригрозила все рассказать вам. Он испугался, что ваши отношения разладятся, что вы рассердитесь и отвернетесь от него, и у него, таким образом, тоже появляется мотив к убийству. Допустим, что у вашего брата и вашей подруги близкие отношения сложились уже давно, просто вы об этом не знали, а теперь эти отношения вошли в определенную стадию, когда Шевченко стала более настойчивой, даже, я бы сказал, назойливой. Возможно, он обещал развестись и жениться на ней, и она стала требовать выполнения обещанного. Она проявляла завидную настойчивость, об этом говорят многие свидетели из издательства, а ваш брат уклонялся от встреч с ней. Когда он понял, что об их отношениях начали судачить и под угрозой оказался не только его брак, но и его близкие отношения с вами, он убивает девушку. Тоже замечательный мотив. Теперь перейдем к возможностям. Вы утверждаете, что расстались с Екатериной возле подъезда вашего дома, и было это около часа ночи, она отправилась домой, а вы в расстроенных чувствах пошли погулять, чтобы успокоить нервы. Правильно?

— Правильно.

— И гуляли вы примерно до половины четвертого. Так?

— Так.

— И никто ничего подтвердить не может, — Огнев картинно развел руками. — Водитель машины, на которой вы приехали, уехал, а вы еще некоторое время стояли и разговаривали. То есть продолжали ссориться. Выстрел слышали жильцы дома, но ввиду позднего времени никто, естественно, не побежал в подъезд смотреть, что случилось. Вы спокойно могли войти вместе с Катей в подъезд, застрелить ее и уйти. Погуляли, подышали воздухом, выбросили пистолет, вернулись и сделали вид, что обнаружили тело. Могло так быть?

— Могло. Но так не было. Я ее не убивал.

«Интересно, — подумал следователь, — этот доморощенный философ когда-нибудь выходит из себя? Что-то он больно спокоен. Словно я его не в убийстве подозреваю, а на консультацию пригласил».

— Но вы согласны, что так могло быть, — подчеркнул Виктор Евгеньевич. — Что же касается вашего брата, то он, как выясняется, тоже алиби не имеет, потому что после вечеринки отправил жену домой одну, сказав ей, что должен ехать в аэропорт Домодедово встречать приятеля. Рейс должен был прибыть в час пятнадцать ночи. Он отпустил водителя и сам сел за руль. Кстати, ваш брат что, убежденный трезвенник?

— Нет.

— То есть на вечеринке он пил?

— Конечно. Но немного. Он никогда не пьет много и терпеть не может сильно выпивших.

— Иными словами, он сел за руль в нетрезвом состоянии. Уже нехорошо. Когда он уехал из клуба?

— Чуть раньше нас. Он боялся не успеть в аэропорт.

— Ну вот видите, как получается. Он уехал раньше вас и вполне мог приехать к вашему дому, оставить машину где-нибудь в соседнем дворе, чтобы вы ее не увидели, дождаться потерпевшую в подъезде и застрелить ее.

— Что за бред!

Ну вот, хоть что-то, напоминающее эмоции. Дело сдвинулось с мертвой точки.

— Ну почему же бред, Андрей Владимирович? Все сходится.

— Да что же сходится-то? Откуда Саша мог знать, что мы поссоримся и Катя пойдет домой одна?

— А вы не допускаете мысли, что они могли договориться?

— Договориться? О чем?

— О том, чтобы вы поссорились. Вот я читаю ваши показания: «Я был очень взволнован, наговорил Кате резкостей, она мне сказала: «Пойди проветрись, пока не успокоишься — домой не возвращайся». Ваши слова?

— Ну да...

А вот уже и растерянность появилась. Молодец, Огнев, так держать!

— Допустим, они договорились, что Катя постарается выпроводить вас из дома и они смогут провести некоторое время наедине в вашей квартире. Поэтому ваш брат спрятался в подъезде и ждал ее. Умысел на убийство мог возникнуть у него спонтанно, уже после того, как они договорились. А может быть, он просто задурил девушке голову перспективой свидания наедине, а сам заранее знал, что убьет ее. Ну как?

— Да никак. Саша поехал в аэропорт. Вы же наверняка уже проверяли, встретил он своего приятеля или нет. Ведь встретил, правда?

— Конечно, встретил, — рассмеялся Огнев. — Конечно. Мы все проверили. И «приятеля», — он подмигнул, — тоже спросили. Встретил и до дому довез. Они даже еще успели чайку попить и о жизни поговорить.

— Тогда зачем вы мне рассказываете эту чушь?

— Затем, Андрей Владимирович, — Огнев сделал паузу и немного затянул ее, наслаждаясь моментом, — что рейс задержали, и прилетел самолет только в пять утра. Так что времени у вашего брата было более чем достаточно.

— Но Саша не знал, что рейс задерживается! Он торопился уехать из клуба, чтобы не опоздать в Домодедово к началу второго.

— Откуда вы знаете, знал он или нет? Информация доступна по телефону или с любого компьютера. Он мог просто разыгрывать спектакль. Я вам для чего все это говорю, Андрей

Владимирович? У меня двое подозреваемых: вы и ваш брат. Вы же не хотите, чтобы я его взял под стражу, если вы точно знаете, что он невиновен, правда? Других подозреваемых у меня нет. Так что получается, или вы — или он. Если вы убили Екатерину Шевченко, то признайтесь лучше прямо сейчас, чтобы избавить любимого брата от ненужных неприятностей.

— Но я ее не убивал, я же вам говорю!

— Значит, убил он. И я его арестую.

В общем-то Виктор Евгеньевич хорошо понимал, что делает. Ему в тот момент было все равно, кто из братьев Филановских застрелил Катю Шевченко. Ему очень хотелось в отпуск и очень хотелось выдавить из Андрея признание. Пусть липовое, пусть будет самооговор, но это же выяснится только потом, когда он уедет. А может быть, и вернуться успеет...

Но признаваться Андрей Филановский не спешил.

На другой день, сидя в своем кабинете с оперативником Олегом Бариновым, следователь Огнев рассказал ему историю, которую узнал накануне от Пилипенко.

— Не дожал я его вчера, — пожаловался он. — Нужен пробивной удар. Надо бы установить ту дамочку, которая заяву на него кинула.

— Фамилия следователя известна? — спросил Баринов.

— Да если бы, — следователь развел руками. — Мыкола сказал, что, если бы фамилия была указана, он бы запомнил. Он такие вещи не забывает.

— Ну хоть в каком округе?

— Неизвестно. Известно только, что в Москве.

— Ну и спасибо тебе большое, — безрадостно усмехнулся Олег. — Пойди туда — не знаю куда. И как я ее искать буду?

— А это не мое дело, — внезапно рассердился Виктор Евгеньевич. — Ты — сыскарь, ты и ищи. И фильтруй работу, фильтруй, распределяй по операм, учись быть руководителем, а то эдак в рабочих лошадках и просидишь до самой пенсии.

А старший лейтенант Баринов ничего против этого и не имел. Его непомерное честолюбие на карьерный рост не распространялось. Он хотел сыщицкой славы, он хотел, чтобы вся Москва, а еще лучше — вся страна знала: он — самый-самый. А что руководитель? Тьфу! Вон есть хирурги, на всю страну знаменитые, на весь мир, так разве кто-нибудь знает имена главврачей, которые руководят теми больницами, где эти хирурги оперируют?

* * *

Работать сверхурочно следователю Огневу не очень хотелось, а вот в отпуск хотелось очень. Отпуску мешало убийство Екатерины Шевченко, а раскрытию убийства мешали братья Филановские, которые никак не хотели признаваться в убийстве. Конечно, Олег Баринов был очень убедителен со своими рассуждениями о том, что директора издательства подставили и убийство совершено кем-то из его яростных недоброжелателей, коих уже по первым прикидкам оказывалось человек пять, и все в издательстве. Но Виктору Евгеньевичу куда больше нравилась его собственная версия об убийстве по личным мотивам, а мотивы эти имелись и у Андрея Филановского, и у его брата Александра. Правда, нельзя было совсем уж исключать бывшую любовницу Александра Марину Савицкую, но это соображение показалось Огневу слабоватым: скандальная ситуация с «клубом брошенных любовниц», о которой ему поведал оперативник Баринов, развернулась только на вечеринке в клубе, откуда же у Савицкой пистолет? И откуда она узнала, где живет Катя, которую Марина, при некотором напряжении фантазии, могла бы рассматривать как свою соперницу? Нет, все это никуда не годилось, в том числе и версия о причастности к убийству жены Александра Елены. И у нее, и у Савицкой было такое алиби, которое никаким автогеном не разрежешь и тараном не прошибешь. Кроме того, ни та, ни другая не появлялись в издательстве «Новое знание» 7 марта, в день пропажи пистолета. Впрочем, тут еще надо погодить с окончательными выводами, ведь ответа баллистов пока еще нет — может, Шевченко-то убили и не из краденого оружия, а из какого-то другого «ижика». Но все равно: алиби, алиби...

А дни, оставшиеся до отпуска, утекали и таяли, а начальство, с которым Огнев пытался договориться, делало вид, что не понимает, и объясняло, что дело об убийстве передавать некому, все опытные следователи загружены под завязку, причем делами с истекающими сроками, по которым нужна ну совершенно авральная работа, а неопытному расследование убийства поручать никак нельзя. Вот если бы преступление было в принципе раскрыто, то есть появился бы обвиняемый, и оставалась только рутинная работа по сбору и закреплению доказательств, — тогда пожалуйста, тогда и неопытный сотрудник с работой совладает. И в свете этих аргументов Виктору Евгеньевичу страсть как хотелось, чтобы виновным оказался Андрей Филановский. Эх, пришло бы положительное заключение экспертов о наличии на его одежде пороховых частиц — тогда можно было бы считать вопрос решенным. Ну и что, что пистолет пока не нашли? Потому и не нашли, что он хорошо спрятан, то есть выброшен неизвестно куда, а вот экспертиза утверждает, что человек, на котором была изъятая одежда, стрелял из огнестрельного оружия, так что никуда вам, дорогой гражданин Филановский, не деться.

Но экспертизу еще ждать и ждать. А времени все меньше и меньше. И Виктор Евгеньевич, несмотря на нелюбовь к сверхурочным трудам праведным, снова вызвал на допрос Андрея Филановского в надежде на то, что у того все-таки сдадут нервы и он признается в совершении убийства. Ах, как было бы славно! Быстренько сгонять к судье, выбить постановление о заключении под стражу — и в самолет, в теплые края, где весна больше похожа на лето, а не на зиму, как в России.

И снова Виктора Евгеньевича неприятно, вплоть до раздражения, кольнули печаль и безграничное терпение Филановского. Н-да, нервы у него крепкие, так просто он в руки не дастся, придется попотеть.

— Давайте предположим, Андрей Владимирович, — начал следователь, — что у вашей подруги все-таки был роман с вашим братом. Просто вы об этом не знали. А в тот роковой вечер узнали или догадались. Как бы вы реагировали?

Филановский пожал плечами.

— Никак, наверное.

Подумал немного и снова повторил:

— Никак. Порадовался бы за них — и все.

— Порадовались?! — Огнев ушам своим не поверил.

— Ну да. Люди любят друг друга, им хорошо вместе, что же в этом плохого? Тем более речь идет о людях, к которым я хорошо отношусь. Конечно, я был бы рад за них.

— А как же ревность? Вы что, не ревновали бы Екатерину к своему брату?

— Ревность? — Филановский усмехнулся. — Вы можете сформулировать свой вопрос как-нибудь иначе?

— Иначе? — озадаченно переспросил следователь. — Ну, попробую. Вот есть девушка, вы долгое время считали, что она ваша, и вдруг оказывается, что она вас обманывала и на самом деле она принадлежит другому. Разве это не обидно? Разве не вызывает сильных негативных эмоций? Эти эмоции и называются ревностью. Такая формулировка вас устроит?

— Вполне. Только в ней все неправильно. Катя никогда не была моей. Это заблуждение.

Ну, понятно. Сейчас он начнет отрицать сам

мотив ревности и гнать порожняк насчет того,
что его с потерпевшей ничего интимного не
связывало, что он просто пустил ее пожить в
своей квартире, потому что у нее образовалась
сложная жизненная ситуация. Плавали, знаем.

— Вы хотите сказать, что она не была вашей
сожительницей? У вас не было близких отношений? — прищурился Огнев.

— Близкие отношения были. Но моей Катерина не была. Она не принадлежала мне, она
была сама по себе, взрослая самостоятельная
личность с собственными мыслями, представлениями и желаниями. В определенный период
ее жизни у нее было желание находиться рядом
со мной, и я этому радовался, наступил другой
период, у нее появились другие желания, например, быть рядом с моим братом. Она вольна
в своих желаниях и в своем выборе. Почему я
должен этому противиться? Почему это должно
быть мне неприятно? Объясните мне.

— Вы что, прикидываетесь? — разозлился
Огнев. — Любому человеку неприятно, когда
его бросают, это самоочевидная истина. Это
всегда оскорбительно и вызывает гнев и обиду.
Попробуйте мне возразить.

— Боже мой, Виктор Евгеньевич, каким мусором забита ваша голова! — улыбнулся Филановский.

— Гражданин Филановский, я попросил бы
вас следить за речью, — строго произнес следователь. — Вы не на посиделках с приятелем, а в
прокуратуре.

— Простите. Под словом «мусор» я имел в

виду неправильно употребляемые слова. Что значит «моя»? Что значит «бросил»? Человек — не вещь, он никому не принадлежит, и его нельзя бросить. С человеком можно расстаться, разойтись, и в этом нет ничего оскорбительного и обидного. Можно об этом сожалеть, можно по этому поводу грустить и печалиться, но уж никак не гневаться. Каждый человек вправе сам выбирать, с кем ему быть, и выбирает он тех, с кем ему хорошо. Если ему с вами стало плохо или просто не так хорошо, как хотелось бы, какое право вы имеете ему мешать и на него обижаться? Вы еще вспомните такое замечательное слово, как «соперник». Можно подумать, что живой человек — это приз, золотой кубок, за обладание которым, как в спорте, соперничают те, кто его любит. Вот это я и называю мусором. Лексику, которая имеет отношение к неодушевленным вещам, мы легко используем применительно к живым людям. Это одна из величайших ошибок нашей цивилизации. Мы говорим «мой ребенок» и считаем, что имеем право распоряжаться его желаниями, потребностями, чувствами, мыслями, всей его жизнью, мы стремимся, чтобы он стал таким, каким мы хотим его видеть, получил то образование и ту профессию, которые мы сами ему выбрали, вступил в брак с тем человеком, которого мы одобряем. Ну а как же иначе? Ведь это «мой» ребенок, поэтому он должен отвечать моим запросам и ожиданиям. Он мне принадлежит, он обязан удовлетворять мои эмоциональные потребности, он будет делать то, что я скажу. Видите, как далеко мы заходим? Еще один шаг — и мы скажем: мой ребенок — это моя вещь. А все почему? Потому что в слово «мой» вкладывается не присущий этому слову смысл. Катя — не моя девушка, Катя — девушка, которая была со мной рядом, какое-то время ее это устраивало, потом устраивать перестало. Вот и все. Она мне не принадлежала, она шла собственным путем, и если бы она захотела меня оставить, то есть ее путь разошелся бы с моим, я ни в коем случае не стал бы ее удерживать и мешать ей.

— Слушайте, Филановский, не морочьте мне голову! — рассердился следователь. — Ревность — это естественное чувство, оно присуще любому человеку, и вы никогда не убедите меня, что вы его не испытываете. Я вам не поверю. Все люди ревнуют.

— Еще одна ошибка, — грустно вздохнул Филановский. — И еще одна подмена понятий. «Естественный» — не означает «обязательный». Стремиться к продолжению рода — естественно для человека, но посмотрите, сколько вокруг людей, которые к этому вовсе не стремятся и детей не хотят. Эти люди что, противоестественные? Да нет, они просто другие. И это при том, что стремление к продолжению рода находится на уровне инстинкта. Есть инстинкт самосохранения, но существует огромное количество людей во всей мировой истории, которые этим инстинктом не руководствовались и совершали поступки, которые называются подвигами. Они жертвовали своей жизнью, вместо того чтобы всеми силами ее сохранять. Вы и этих героев назовете противоестественными? А ведь контролировать инстинкты труднее всего, они разуму плохо подчиняются. А уж ревность-то... Знаете, почему вам кажется, что ревновать — естественно?

— Ну и почему? — нахмурился Огнев.

— Потому что вы все рабы слова «мое!». Вот так, с восклицательным знаком. От вас ушла любимая женщина? Вы кричите: «Караул! Воры! Мое отбирают! Имущество — вернуть, вора — примерно наказать». То есть убить соперника или покалечить его. Некоторые, правда, наказывают не вора, а непослушную вещь, которая позволила себя украсть. Из ревности ведь убивают не только соперников, но и неверных возлюбленных, то есть наказывают их. Тоже довольно абсурдно, вы не находите? У вас украли кольцо с бриллиантом, вора нашли, похищенное вернули, и вы по этому кольцу — кувалдой, кувалдой, да потяжелее. А ведь могли бы носить его на руке и радоваться.

Следователь не сдержался и хихикнул.

— Вы улыбаетесь? — продолжал Филановский. — Значит, вы начали меня понимать. А как нас к этому мировая литература приучает! Испокон веку, описывая любовную сцену, принято употреблять слово «обладание». Вы этим словом пользуетесь и искренне в него верите: ну а как же, раз обладаю — значит, мое, я хозяин, попробуй отними. Я уже давным-давно понял, что в этом мире мне действительно принадлежит очень немногое: мои мысли, мои чувства, мои поступки, моя жизнь. Все остальное в любой момент может от меня уйти, и это совершенно нормально. Костюм может прийти в негодность, и я больше не смогу его носить, машина может развалиться, и на ней нельзя будет ездить, квартира может сгореть, и никакие сертификаты на право собственности тут не помогут. Право есть, а собственности нет. Только мои мысли и чувства никуда не денутся, они со мной, пока я жив, и уйдут одновременно со мной. Так что поверьте мне, Виктор Евгеньевич, Катерину я не ревновал.

И почему-то в этот момент следователь Огнев ему поверил. Но отпуск неумолимо приближался, и необходим был реальный подозреваемый, а еще лучше — обвиняемый.

— Вы меня убедили. А ваш брат придерживается таких же взглядов?

— О нет, — Филановский негромко рассмеялся, — Саша — яркий представитель большинства, он думает и чувствует, как все. Только камикадзе может попытаться отобрать у него то, что мой брат считает своим.

— Значит, ему чувство ревности присуще?

— Конечно.

— Ну а если допустить, что у него все-таки был роман с Екатериной Шевченко, но она решила — опять-таки, я только предполагаю, — что с вами ей будет лучше, и решила эти отношения прекратить. А? Она вас не обманывала, Александр действительно приставал к ней, он хотел вернуть ее, а она заявила, что между ними все кончено... Реально? Как вы полагаете?

— В принципе — да, — кивнул Андрей, — но есть два обстоятельства. Саша никогда не стал бы отбивать у меня женщину, я вам уже говорил об этом. И он не стал бы убивать.

— Вы не можете этого знать, — сухо заявил следователь. — Никто не может знать, что на уме у другого человека. А вы сами только что сказали, что только камикадзе может попытаться отобрать у него то, что он считает своей собственностью. Ваш брат своего просто так не отдаст. У него в большей степени, чем у кого бы то ни было, была возможность похитить оружие, он прекрасно знал о халатности работников охраны и легко мог улучить момент, когда в помещении дежурной смены никого нет и пистолет оставлен без присмотра. И у него нет алиби. Он уехал из клуба около половины первого, при этом почему-то отпустил водителя, хотя сам был не вполне трезв, и появился в аэропорту только в пять утра. Где он был все это время? Нет ни свидетелей, ни доказательств.

Огнев, выкладывая свои козыри, очень надеялся, что Андрей Филановский немедленно кинется защищать брата, то есть начнет давать показания, которые можно будет проверить и убедиться: убийство совершил именно Александр. Или Андрей. Хотя в последнее следователю уже верилось с трудом. Виктор Евгеньевич вполне допускал мысль о том, что директор издательства, узнав заранее о задержке рейса, никому, в том числе и жене, об этом не сказал, водителя благоразумно отпустил и рванул к бабе, дабы с приятностью провести неожиданно образовавшиеся четыре часа бесконтрольной ночной свободы. Сам Александр Владимирович утверждал, что спал в машине, припарковавшись где-то в районе станции метро «Каширская», но никаких свидетелей этому Олег Баринов пока не нашел. Кому, как не родному брату, знать имя этой любовницы! Вот сейчас Андрей ее назовет, Баринов к ней поедет и тряхнет как следует, глядишь — и выяснятся какие-нибудь пикантные подробности, например про связь директора издательства с убитой Катей Шевченко, или про его крутой нрав и бешеную ревность, или про наличие пистолета...

— Ладно, — вдруг произнес Андрей Филановский, — хватит. Время позднее, вам пора домой. Записывайте: я признаюсь в убийстве Екатерины Шевченко.

Огнев затряс головой, словно пытался сбросить наваждение.

— Вы — что?

— Я признаюсь, — и снова безграничное терпение появилось на лице Филановского. — Я ее убил. Застрелил.

— Но почему? — следователь все еще не верил. — Зачем?

— Из ревности.

— А как же то, что вы мне тут рассказывали? Про ревность, про ошибки цивилизации? Значит, это все — пустые слова?

— Видите ли, Виктор Евгеньевич, правильно думать — не означает правильно чувствовать. Это еще одна ошибка, еще одна подмена понятий. Правильно думать легко, мыслями можно управлять. Правильно чувствовать куда труднее, и я этому не научился. Что ж вы не пишете ничего?

Огнев придвинул к себе клавиатуру компьютера и резво защелкал клавишами.

— Надо же, — вздохнул он, автоматически впечатывая реквизиты в готовый бланк протокола, — а ведь я вам почти поверил.

— Еще одна ошибка, — усмехнулся Филановский.

* * *

В этот вечер оперативник Олег Баринов еще ничего не знал о признании Андрея Филановского в убийстве, поэтому добросовестно выполнял задание следователя найти концы истории с попыткой изнасилования, случившейся около двух лет назад. Первым делом он отправился в школу, в которой Филановский периодически арендовал помещение для своих семинаров. В школе ему факт аренды подтвердили, но сказали, что семинары Филановского проходят здесь только в последний год, раньше он проводил их где-то в другом месте. В каком? Неизвестно. А как организовывалась финансовая сторона этих семинаров? Билеты продавались или желающие послушать сдавали деньги непосредственно Филановскому?

— Нет-нет, — сказали Олегу, — перед началом, примерно за час, перед дверью класса начиналась продажа билетов, все честь по чести.

— И что же, Филановский сам билетами торговал? — недоверчиво спросил Баринов.

— Ну зачем же. У него была помощница, знаете, такая... из преданных поклонниц, вот она этим и занималась.

— Имя ее знаете? Как мне ее найти?

— Да, вот тут у нас записано...

Это и было то, к чему так стремился Олег. Найти человека, который давно сотрудничает с Андреем Филановским. Этот человек наверняка много знает, а уж вытрясти из него информацию оперативник как-нибудь сумеет.

Антонина Степановна Федосеева сразу ответила на телефонный звонок Баринова и согласилась встретиться, правда, после некоторых колебаний.

— А в чем дело? — опасливо спросила она.

— Нам из налоговой службы поступил сигнал, — бодро и заготовленно соврал Баринов, — надо проверить, что у вас с финансами делается. Как билеты продаются, по какой цене, кто готовит отчеты налоговикам и так далее.

— Отчеты готовлю я, — вздохнула Антонина Степановна. — Ладно, я приеду, куда скажете. Какие документы мне с собой привозить?

— Да вы не беспокойтесь, — радостно заворковал Олег, — я сам могу приехать, говорите адрес.

Минут через сорок он уже сидел в небогатом, но чистеньком и уютном жилище Антонины Степановны Федосеевой, сухощавой женщины лет пятидесяти с небольшим. Хозяйка дома угощала оперативника чаем с пряниками и охотно давала комментарии многочисленным фотографиям, развешанным по стенам и отражающим всю ее жизнь, надо признаться, довольно скудную событиями. Вот Тонечка — студентка техникума, а это она на субботнике, а это ей вручают грамоту за трудовые достижения... Олега больше интересовали снимки, на которых он заметил Андрея Филановского: одного, вдвоем с Антониной Степановной и в центре большой группы людей преимущественно женского пола. «Учитель со своими учениками», — насмешливо подумал Баринов.

Нужно было хотя бы минимально следовать легенде, поэтому он начал с финансов:

— Как оформлена деятельность Филановского? Как частная фирма?

— Предприниматель без образования юридического лица, — отчеканила Федосеева.

— Значит, отчитываетесь...

— Каждый квартал, — подхватила она. — Вот, я все приготовила, и отчеты, и платежки.

— Филановский сам оформлялся или ему кто-то помогал?

— Я и помогала. Знаете, Андрей такой беспомощный в бумажных делах, и вообще это не его забота, я на себя все взяла. Поэтому если в документах что-то не так, то с меня спрашивайте, он ни при чем.

Мужественная женщина, отметил про себя Олег, готова принять удар на себя. Небось влюблена по уши в своего гуру.

— Андрей Владимирович с самого начала платил налоги или только недавно начал? — спросил он, листая бумаги и делая вид, что вникает.

— Всегда платил, — уверенно ответила Антонина Степановна, — только был период, примерно год, когда он лекций не читал и никаких доходов не имел, тогда, конечно, не платил.

— А что так? Почему перерыв?

— Андрей над книгой работал. Знаете, у него есть брат — директор издательства, так он предложил Андрею написать книгу.

— Интересно, — протянул Баринов. — И что, написал он книгу?

— Ну конечно, она вышла. Вот! — Федосеева с гордостью протянула ему томик в серо-голубой обложке.

— Надо же, — он уважительно покачал головой. — И когда был этот перерыв?

— Два года назад. Я хочу сказать, что два года назад Андрей перестал проводить семинары, а год назад снова начал.

Ага! Два года назад, как раз когда случилась та неприглядная история с покушением на изнасилование. Затаился господин Филановский, испугался, ушел в тину, годик подождал, страхи улеглись, и он снова вышел на промысел. Пока все складывается. Интересно, эта милая поклонница-делопроизводительница знает об истинной причине, заставившей ее гуру бросить проповедовать и заняться писаниной?

— А почему именно два года назад? — невинно поинтересовался Баринов. — Ведь Андрей Владимирович свои теории давно уже развивает, чего ж он столько времени ждал? Взял бы давным-давно да и написал свой труд, тем более, вы говорите, у него брат — директор издательства.

— Ой, ну что вы, — замахала руками Антонина Степановна, — он очень не хотел над книгой работать, ему гораздо интереснее проводить семинары, общаться с людьми. Это брат его уговорил. И то сказать, Андрей наотрез отказался писать текст, так брат из издательства специально человека прислал, чтобы тот сидел и на диктофон записывал, потом запись обработали — и получилась рукопись.

— Что же получается, — Баринов недоверчиво покачал головой, — Андрей Владимирович книгу фактически и не писал, а чем он тогда целый год занимался?

— Я же вам говорю: работал над рукописью, правил, переставлял куски текста местами, дополнял аргументацию. Вы не думайте, что это просто, это очень тяжелая работа.

— Неужели этим можно целый год заниматься?

— Можно.

«Нельзя, — мысленно прокомментировал оперативник. — Просто он отсиживался в затишке. Ладно, с этим понятно, пойдем дальше».

— Кстати, Антонина Степановна, объясните мне, темному человеку, почему то, чем занимается Филановский, вы называете то лекциями, то семинарами? Насколько я помню из своего институтского прошлого, это все-таки разные вещи.

— Это в институте разные вещи, — наставительно ответила Федосеева, — а у нас это одно и то же. Андрей рассказывает о своих взглядах и отвечает на вопросы, попутно предлагает слушателям выполнять некоторые упражнения. Весь цикл в целом называется «Семинар Андрея Филановского», и он состоит из пяти занятий: вводного и четырех лекций.

— Понятно. Семинары проводятся только в Москве?

— Ну что вы, мы по всей стране ездим.

— Мы? И вы с ним ездите?

— А как же, — Антонина Степановна горделиво улыбнулась. — Я предварительно договариваюсь обо всем, нахожу помещение для аренды, обеспечиваю объявления, покупаю билеты, заказываю гостиницу. Андрей ничего этого не умеет. Да ему и не нужно, пока есть я.

— Вы у него на зарплате состоите?

— Нет, что вы, я на общественных началах помогаю. Мне зарплата не нужна, я портниха, шью на дому и зарабатываю достаточно, мне хватает. Вы про мои налоги тоже будете спрашивать?

— Нет, про ваши не буду, на вас пока сигналов не поступало, — с серьезной миной ответил Баринов. — И кто же посещает ваши семинары?

— Как кто? Люди.

— Ну, это понятно. А кого больше, мужчин или женщин?

— Женщин, конечно, — Федосеева рассмеялась.

— Почему «конечно»? Разве мужчинам теории Филановского не интересны?

— Интересны, но мужчины по-другому устроены. Им почти всегда стыдно признаться, что у них не все в порядке и они нуждаются в помощи. Вот женщины как-то легче на это идут, они с удовольствием приходят на всякие консультации в центры психологической помощи, и на семинары к Андрею ходят. А мужчина — он как думает? Вот я приду на семинар, и там будет еще тридцать человек, все на меня посмотрят и подумают: он сюда пришел, потому что у него не все в порядке и он не так успешен, каким хочет казаться. Мужчины этого боятся. Поэтому они с удовольствием купят книгу, прочитают ее, когда никто не видит, а на семинар не пойдут.

«Это она верно подметила, — подумал Олег, — я бы тоже ни за что не пошел». Он покрутил в руках книгу Филановского и заметил на обложке его фотографию. Вот и славно, трам-пам-пам!

— Красивый мужчина, — он постарался придать голосу побольше восхищения. — Это фотография такая удачная или он и в жизни такой же?

— В жизни даже лучше! — не скрывая восторга, ответила Антонина Степановна.

— Небось девушки-то в него влюбляются на каждом шагу.

Ну вот, камень брошен, теперь посмотрим, какие круги по воде пойдут.

— Бывает, — Федосеева скупо улыбнулась. — Случается даже, что один семинар прослушают и на следующий приходят, потом еще на один, и еще. Есть такие.

— Ну а он что? Замечает?

— Конечно. Андрей очень внимателен к своим ученикам, всегда в зал смотрит, и если лицо примелькалось — он замечает.

— И как реагирует?

— Никак. А как он должен реагировать?

— Ну, я не знаю, — рассмеялся Олег. — Я вот попытался поставить себя на его место... Я такой красивый, такой умный, холостой, и я вижу, что молодая симпатичная девушка все ходит и ходит на мои лекции... Честно вам скажу, я бы не удержался, обязательно ответил бы на ее симпатию.

— Нет, Андрей не такой. Он со своими слушательницами романов не крутил никогда.

— Так уж и никогда?

— Никогда, — твердо повторила Антонина Степановна. — Можете у кого угодно спросить. Даже до трагедий доходило.

Вот. Это уже горячо. Можно сказать, кипяток.

— Неужели? — Олег вздернул брови и сделал глазки покруглее. — Как интересно! Расскажите, пожалуйста.

Но это оказалась история не о попытке изнасилования, а о неразделенной любви. Верочка Синько впервые пришла на семинар около трех лет назад, может быть, чуть больше, и влюбилась в Андрея Филановского с первого взгляда. Она пришла и на следующий семинар, и еще на один, в тот период семинары проходили намного чаще, чем сейчас, примерно два раза в месяц. Девушка всячески старалась обратить на себя внимание Андрея, садилась на первую парту, задавала вопросы, ждала его после лекций на улице и делала вид, что им по пути, — одним словом, перепробовала весь мыслимый и немыслимый арсенал девичьих уловок, но безрезультатно. Филановский был мил и доброжелателен, но не более того. Тогда она решилась и написала ему письмо, которое отдала Андрею после очередной лекции прямо в руки. На следующий день он подошел к ней и пригласил в ближайшее кафе. К сожалению, приглашение обернулось совсем не тем, на что девушка рассчитывала. Андрей поблагодарил ее за искренность и мягко, но вполне определенно сказал, что надеяться ей не на что. Рядом с ним есть женщина, которая ему дорога и изменять которой он не собирается. Через несколько дней Верочку увезли в больницу на «Скорой» после попытки суицида.

— Вот ведь какая любовь, — заохал Баринов. — И что с ней потом стало?

— Ой, это ужасно, вы знаете, просто ужасно! После больницы Вера на семинары больше не ходила, она вообще очень долго проболела тогда. У нас на семинарах люди сближаются, завязываются тесные отношения, слушатели потом дружат, перезваниваются, общаются. Ну так вот, стало известно, что Верочка вроде бы выправилась, а потом вдруг — бац! — новая попытка самоубийства. Но тут уж Андрей был совсем ни при чем, он ее после того разговора в кафе и не видел ни разу.

— Когда это было? — напряженно спросил Олег.

— Да где-то года два назад. Да, совершенно точно, это было как раз тогда, когда Андрей решил приостановить проведение семинаров и заняться книгой.

Оп-па! Вот оно. Бедная Верочка узнала о покушении на изнасилование и о том, что ее кумир совсем не тот, за кого себя выдает. И очень даже легко он может изменить женщине, которая ему, видите ли, дорога. И не просто изменить, а повести себя как грубая скотина. Антонина Степановна, судя по всему, об этой истории не знает, а если и знает, то умеет держать язык за зубами, так откуда же Верочке стало известно? А ей стало известно, в этом можно не сомневаться, очень уж точно все по времени совпадает. Выходит, либо Верочка знакома с потерпевшей, либо знает кого-то, кто с ней знаком. В любом случае она знает имя. Что и требовалось доказать.

— Несчастная девчонка, — он сочувственно покачал головой, — жалко ее. И как она теперь?

— Да плохо. То выправится, то снова в страшную депрессию впадает. Из клиники неврозов не вылезает. Одно время, казалось, уже все в нормальную колею вошло, она как-то повеселела, стала жизнью интересоваться, мне девочки рассказывали... А потом вдруг снова, это уже совсем недавно, месяца три назад.

— Жалко, очень жалко, — повторил Олег. — А знаете, Антонина Степановна, у меня есть хороший специалист-психиатр, он с такими случаями очень ловко управляется. Дайте-ка мне телефончик этой Верочки, я ей позвоню и попробую уговорить пойти к нему на прием.

— Да у меня нет ее телефона, — удивилась Федосеева. — Я с ней не общаюсь.

— Ну спросите у тех, кто с ней общается. Кто-то же вам о ней все время рассказывает.

Она заколебалась.

— А ваш знакомый точно ей поможет?

Олегу стало тошно, потому что никакого знакомого психиатра у него не было, вернее, они были, но никакие не светила, самые обыкновенные. Ладно, долой эмоции, дело есть дело. И он уверенно кивнул. Федосеева кому-то позвонила и через десять минут протянула ему бумажку с именем, фамилией и номером телефона.

Выскочив из дома, где жила Антонина Степановна, он первым делом позвонил следователю Огневу.

— Я занят, у меня допрос, — сухо произнес в трубку Виктор Евгеньевич.

— Филановский? — догадался Олег.

— Да.

— Ты его еще долго продержишь?

— Не знаю. Наверное, да.

— Подержи подольше, потяни резину. Есть шанс, что в течение полутора — максимум двух часов я тебе скажу фамилию терпилы по изнасилованию.

— Добро, — коротко ответил следователь и отключился.

Вторым на очереди стоял звонок по номеру, который дала Федосеева. Ему ответил женский голос, усталый и измученный.

— Вера? — спросил Олег.

— Кто ее спрашивает?

Значит, мать или сестра.

— Ее знакомый.

— Какой знакомый?

— Мы в клинике познакомились. Я там сестру навещал. А Веры что, нет дома?

— Она в больнице. В клинике неврозов.

— Опять? Господи, бедняжка! Можно ее навестить?

— Да, конечно. Палата сорок восемь.

Неудачно. Но не все потеряно. Баринов сделал еще один звонок, продиктовал фамилию и номер телефона и уже через минуту записывал адрес Верочки. Пусть она в больнице, но кто-то же ему ответил по телефону, значит, дома кто-то есть. Вот и поговорим.

Время поджимало, Олегу очень хотелось успеть все сделать, пока следователь допрашивает Филановского. Может быть, ему удастся раздобыть поистине бесценную информацию, которая окажется решающим козырем и поможет Вите Огневу довести допрос до логического завершения. Он мчался на машине, нарушая правила и проезжая перекрестки на несуществующий сигнал светофора, который сам же называл «ранний красный», и добрался до нужного места в рекордные сроки.

Дверь Олегу открыла женщина средних лет, судя по всему, та самая, с которой он говорил по телефону.

— Моя фамилия Баринов, — представился он, — я из уголовного розыска. Мы могли бы поговорить?

Женщина даже не удивилась, а если и удивилась, то у нее, вероятнее всего, просто не было сил это демонстрировать. Не зря ее голос показался Олегу таким усталым и измученным. А каким же еще может быть голос матери, дочь которой дважды пыталась покончить с собой и без конца впадает в тяжелейшие депрессии?

— Поговорить? — безучастно повторила она. — О чем?

— О вашей дочери и Андрее Филановском.

— А что об этом говорить? Она его любит, он ее — нет, вот и весь разговор.

Она не назвала своего имени и даже не предложила ему пройти дальше прихожей, но Олег не обратил на это внимания, он готов был разговаривать где угодно, лишь бы побыстрее получить ответы на свои вопросы.

— Вы считаете его виновным в болезни Веры?

— И да, и нет. Он — причина, но разве можно его винить в том, что Верочка ему не нужна? Он любит другую женщину. Это жизнь, так случается сплошь и рядом. И во всем остальном он тоже не виноват, хотя долгое время мы с мужем считали иначе.

— Во всем остальном — это в чем?

— Ну, в этой истории с изнасилованием... Когда Вера узнала, у нее была вторая попытка суицида. Она не могла вынести, что ее идеал, на который она чуть не молилась, оказался пошлым подонком. Ведь он сказал ей, что любит другую женщину и не хочет ей изменять, и Вера отнеслась к этому с уважением, он даже вырос в ее глазах. И вдруг такое... Она снова сорвалась. Господи, по каким только врачам мы с мужем ее не водили, чем только не лечили! Вроде все налаживаться стало — и вот снова, она уже без малого три месяца в клинике. Она жить не хочет из-за этого, вы понимаете?! — со слезами на глазах выкрикнула мать Веры.

— Из-за чего? Из-за истории с изнасилованием?

— Ну да! Никакого изнасилования не было! Его оговорили! Вы что, сами не знаете? Эта девчонка призналась Вере, что оклеветала Филановского, что на самом деле ничего подобного не было. И Вера вбила себе в голову, что предала свой идеал, своего любимого, когда поверила в то, что он на такое способен. Она стала ненавидеть себя за это, презирать, считать предательницей — и вот, новый срыв. Но я не могу его за это винить, он и сам пострадал.

— Постойте, постойте, — у Баринова уже голова шла кругом, — мне известно про покушение на изнасилование, а вот про то, что его не было, мне ничего не известно. Можно поподробнее?

Мать Веры снова заговорила тихо и безучастно, словно минувшая вспышка забрала у нее последние силы.

— Я не знаю никаких подробностей. Я знаю только, что Вера случайно столкнулась на улице с этой девицей, Наташей, они на семинаре познакомились, и Верочка рассказала ей, что болеет, и даже рассказала почему. Знаете, она в последний год как-то распрямилась, стала живее и уже могла спокойно рассказывать о себе, ничего не скрывая. Она перестала стесняться себя и своей любви к Филановскому. Это, конечно, благодаря постоянным сеансам у психотерапевта. Вот она и Наташе рассказала, что пыталась покончить с собой, когда узнала про Филановского. А Наташа засмеялась и сказала, чтобы Верочка выбросила это из головы, потому что ничего такого не было. Она просто оговорила его. Вы понимаете? Для нее это оказалось «просто». А мы чуть дочь не потеряли.

— Наташа не объяснила, зачем она это сделала?

— Нет. Но это и так понятно. Наверняка она, как и наша Верочка, влюбилась в Андрея, он же красивый мужчина и очень обаятельный, этого нельзя отрицать, а он не обращал на нее внимания. Вот она и решила отомстить.

— Фамилия этой Наташи вам известна? Или хотя бы ее телефон?

Женщина слабо пожала плечами.

— Где-то у Верочки должен быть записан. Знаете, эта Наташа не такая уж плохая девочка, просто глупая. Она очень расстроилась, когда поняла, что внесла свою лепту в Верочкину болезнь, чувствовала себя виноватой, несколько раз приходила к нам, приносила фрукты, конфеты, книги для Веры, они перезванивались. Наверное, где-то есть ее телефон.

— Поищите, пожалуйста, — попросил Баринов.

— Зачем?

Она долго смотрела на него, потом вдруг спросила:

— Зачем вам все это? К чему эти расспросы? Я понимаю, вы пришли сюда, потому что убили какую-то девушку, которая имеет отношение к издателю Филановскому, брату Андрея, я по телевизору видела репортаж. Но какое отношение к этому имеет Наташа?

— Не знаю, — честно ответил Олег. — Может быть, и никакого. Но я должен все проверить. Поищите номер ее телефона, пожалуйста. В крайнем случае позвоните в клинику и спросите у Веры. Я прошу вас, пожалуйста.

И снова, как и после разговора с Антониной

Степановной, Баринов вышел из подъезда, сел в машину и позвонил следователю Огневу.

— Все, Олежка, — радостно завибрировал в трубке голос Огнева, — с чистой совестью поеду в отпуск. Филановский признался.

— Да ты что?! Неужели признался?

— Как одна копеечка. Все подписал. Я его сразу же и закрыл. Так что гуляй пока.

— А я тебе уже почти что терпилу нашел, — уныло сообщил Олег.

Зря он так старался, так спешил, хотел успеть... Мог бы спокойненько посидеть где-нибудь, пивка попить, а еще лучше — дома хоккей по телику посмотреть, сегодня игра интересная. Тьфу ты! Вот всегда так.

— Ладно, теперь не к спеху, отдыхай, — великодушно разрешил следователь.

Однако Баринов совету не внял, поскольку, помимо огромного честолюбия, было у него еще одно качество: старший лейтенант терпеть не мог недоделанной работы, ибо не доведенное до конца дело оставляло у него ощущение, что вложенные силы пропали зря. Делал, делал, старался, напрягался — и что, напрасно? Он никогда не бросал книгу недочитанной и обязательно досматривал кино до конца, потому что жалко было уже потраченного времени и хотелось «за эти деньги» уже получить целостное впечатление. Поэтому он хотя и незлобиво выматерился про себя, но номер некоей Наташи все-таки набрал. Это оказался номер мобильного, Наташа, обладательница веселого звонкого голоса, находилась в данный момент за городом, на даче у своего кавалера. Понятно, что свидание она не прервет ни за что и в город для беседы с оперативником не приедет. Конечно, Олег мог бы и сам съездить в Подмосковье, но зачем портить девушке личную жизнь? Кстати, на этом и сыграть можно в случае чего.

— Наташа, я попрошу вас отойти в тихое место и ответить на несколько моих вопросов, — сказал он.

— Интересно! — фыркнула девушка. — А откуда я знаю, что вы на самом деле из уголовного розыска? Может, вы проходимец какой-нибудь, я же вас не вижу и документов ваших не вижу.

— Ваш телефон мне дала мать Веры, вы можете перезвонить ей, она подтвердит.

— Ну ладно, — смилостивилась она. — Все, я вышла на крыльцо, спрашивайте, что вы там хотели.

— Да у меня, собственно, вопрос очень простой. Вы в свое время подавали в прокуратуру заявление на Андрея Филановского. Правильно?

— Ну... а что?

— Значит, правильно. А три месяца назад вы сказали Вере, что покушения на изнасилование не было и что вы оговорили Филановского. Было такое?

— Я не понимаю, какое вам дело! Это сто лет назад было. И вообще...

— Наташа, если вы будете так отвечать, мне придется приехать и задавать вопросы, глядя вам в глаза. Могу предположить, что моих глаз вы не очень-то испугаетесь, но вам же придется как-то объяснять своему жениху, почему вас на ночь глядя разыскивает милиция и спрашивает про какое-то изнасилование. Это я сейчас такой деликатный, а если приеду, то вопросы буду задавать в его присутствии.

— Ну ладно, ладно. Что вы хотели узнать?

— Я хотел узнать, зачем вы это сделали. Вы мстили Филановскому за что-то?

— Вот еще! За что мне ему мстить?

— Тогда зачем? Для чего вы поставили под угрозу судьбу и репутацию честного человека?

— Да бросьте вы! Ничего бы с ним не случилось, его брат отмазал, у него денег много, он всех купит, кого захочет.

— Это само собой, — согласился Баринов, — но это не ответ на мой вопрос. Брат — братом, а вы-то зачем оклеветали Андрея? У вас же должен был быть какой-то мотив. Какой?

— Никакой, — буркнула Наташа в трубку.

— Так не бывает.

— А что мне будет... Меня что, привлекут за клевету? Андрей на меня в суд подает за это, да?

— Нет, что вы, никто на вас в суд не подает. Просто мы разбираемся с одним делом, и всплыл тот факт с заявлением о попытке изнасилования. Вот мне и нужно выяснить, что вами двигало. Может, Филановский вас чем-то обидел, оскорбил? Я никогда не поверю, что подобные вещи можно делать просто так, от скуки.

— Не верите — и не надо, — резко бросила Наташа. — Все, я пойду, хватит.

— Я сейчас приеду, — снова пригрозил Олег. Она несколько секунд молчала.

— Ладно. Мне заплатили, чтобы я это сделала.

— Кто заплатил?

— Ну кто-кто... Понятно, кто. Братец его. Издатель.

— Александр Филановский?

— Ну да. Только имейте в виду, если вы меня потащите в суд, я от всего откажусь и вы ничего не докажете.

Ой, грамотные все стали — просто спасу нет. Какой может быть суд, если все бумаги, в том числе и заявление Наташи в прокуратуру, еще два года назад были уничтожены?

— Не беспокойтесь, в суд вас никто не потащит. Александр объяснил вам, зачем ему это нужно?

— Нет. Просто попросил сделать и дал денег. Обещал, что с Андреем ничего не случится, он его вытащит.

— Много денег-то было?

— Не ваше дело.

Значит, много. Но это уже не столь важно. Важно другое: зачем директор издательства так подставил своего брата? Неужели застарелая вражда? Тогда он и сейчас мог его подставить с этим убийством Кати Шевченко. Впрочем, нет, не получается, Андрей Филановский сам признался в совершении преступления.

Ну что ж, дело доведено до конца, можно и домой, к жене.

Олег Баринов с аппетитом поужинал, успел посмотреть несколько последних минут хоккейного матча и с чувством глубокого удовлетворения лег спать.

Встал он утром отдохнувшим, выспавшимся

и в прекрасном расположении духа, с удовольствием проглотил приготовленный женой завтрак и отправился на работу. В десять утра он вместе с сотрудниками отдела сидел в кабинете начальника на совещании, слушал вполуха и, делая вид, что записывает руководящие указания, набрасывал в блокноте список дел на предстоящий день. Когда на столе у начальника зазвонил телефон, Олег понял, что на пару минут, пока шеф разговаривает, можно расслабиться, повернулся к соседу справа и начал выспрашивать у него подробности вчерашней хоккейной баталии. Сосед матч смотрел и приготовился к детальному обсуждению...

— Баринов, я к тебе обращаюсь! — прогремел на весь кабинет голос начальника.

Олег вскочил и вытянулся в струнку.

— Да, товарищ подполковник.

— Тут следователь звонит, говорит, по убийству Шевченко явка с повинной.

— Так точно, товарищ подполковник, — четко отрапортовал он, — еще вчера.

— Да нет, старший лейтенант Баринов, не вчера, а сегодня. Плохо владеешь информацией о ходе расследования.

— Никак нет, товарищ подполковник, вчера в двадцать часов тридцать минут я разговаривал по телефону со следователем Огневым, он поставил меня в известность о том, что Андрей Филановский дал признательные показания.

Олег откровенно валял дурака, изображая армейского служаку, но он был в таком хорошем настроении!

— Так это было, Баринов, вчера, и это был Андрей Филановский. А сегодня — это сегодня. И сегодня с повинной явился его брат Александр. Ты небось думаешь, что дело раскрыто и можно курить бамбук? Давай-ка ноги в руки — и в прокуратуру, разбирайтесь там, что к чему.

* * *

О том, что Александр Филановский явился к следователю с повинной, Антон Тодоров узнал от Баринова и сказал об этом только Нане. Никто, кроме них, в издательстве «Новое знание» не знал об истинной причине отсутствия директора на рабочем месте. Анна Карловна на все вопросы заученно повторяла, что его сегодня не будет, у Александра Владимировича важные встречи и переговоры, и вполне возможно, его не будет и завтра, но говорила она эти слова исключительно потому, что так велел сам Филановский, который позвонил ей с утра пораньше домой, дал единственное указание и больше ничего не объяснял.

Нана, едва начался рабочий день, вызвала к себе Антона, как обычно, через своего секретаря Владу: они собирались поработать со списками посетителей, которые приходили в издательство в день кражи пистолета. И хотя теперь, после того, как убийство можно было считать раскрытым, в этом особого смысла не было, Нана все равно решила сделать запланированную работу. «Не мог Сашка убить, — твердила она себе. — Каким бы он ни был, но убить не мог. Он просто выгораживает Андрея. А Андрей мог? Нет, и он не мог. Но ведь кто-то из них двоих убил Катерину. Один убил, другой взял его вину на себя. Братья... Так кто же из них все-таки убийца?»

Сегодня ей казалось странным и отчасти нелепым, что она так любила Александра Филановского. Неужели это любовь? Да нет же, это просто наваждение какое-то было, помрачение рассудка, и даже не рассудка, а тела. С чего она выдумала, что любит его? Еще тогда ночью, когда она рассказывала Антону о братьях Филановских, она вдруг стала понимать, что не любит Сашу. Не любит — и все. Она это выдумала, накрутила себя, внушила и от этого утратила способность видеть окружающее и правильно оценивать его. Сначала мысль была оформлена как слабое подозрение, но уже наутро, когда стало известно об убийстве Катерины и она встретилась с Александром в издательстве, это легкое, почти ничтожное подозрение переросло в уверенность. Вот отчего ее царапала неправильность собственных мыслей, когда она привычно говорила себе: «Я его люблю». И вот почему ей приснился это чудесный, великолепный, просто замечательный сон про Филановского: во сне она легко и без колебаний ушла от него, и было ей от такого поступка радостно и весело, и даже совершенно не пугала мысль о том, что он ее уволит и они больше не увидятся.

У нее есть Антон, близкий человек, настоящий друг, добрый, умный, внимательный и заботливый, по которому она скучает, когда долго не видит его. Странно, только теперь она впервые поняла, что никогда не скучала по Александру, даже если уезжала в отпуск на целый месяц или директор отправлялся отдыхать. А без Антона она не может прожить и двух дней. Почему она раньше этого не замечала? Почему думала, что ее чувство к Филановскому — это настоящая любовь, а то, что связывает ее с Антоном, — это так, ненастоящее, игрушечное, вроде дружбы, и секс у них дружеский, добротный, полноценный, но без замирания сердца и без сладкого обморока, просто нужно, чтобы рядом был приличный мужик, желательно непьющий и не таскающийся к шлюхам. Антон Тодоров отвечал всем этим требованиям, так почему бы нет? Она никогда не хотела Антона так, как хотела Сашу Филановского, ее не бросало в жар от его прикосновений, просто он умел добиться отклика с ее стороны, и ей было этого вполне достаточно. Разве непременно нужно испытывать постоянное желание, чтобы долго и счастливо жить с человеком? Антон — тонкий и чуткий, он, наверное, понимает, что для Наны секс с ним не играет никакой роли, есть — ладно, нет — и не надо, поэтому не проявляет инициативу слишком часто, хотя видятся они регулярно. Просто сидят рядышком, взявшись за руки, и разговаривают, и ей с ним тепло и уютно. Так что же это, если не любовь? Как это называется? Кроме того, у него сложились прекрасные отношения с Никитой, и если Нане нужно было уезжать в командировку, она с легким сердцем оставляла сына с Антоном, ни минуты не сомневаясь, что все будет в полном порядке. Господи, ну какой Филановский? Зачем? Почему? Слепой идиотизм...

Буквально за минуту до появления в ее кабинете Антона Нане позвонил Степан Горшков.

— А девушка-то увольняется, — загадочно сообщил он.

— Девушка? — Нана нахмурила брови, пытаясь сообразить, о ком он говорит.

— Новенькая из рекламы. Марина Савицкая, — объяснил Горшков.

— А что случилось? Она и недели не проработала. Ее кто-то обидел?

— Нана, я тебя предупреждал, что когда-нибудь Большой Фил нарвется. Вот он и нарвался.

— На кого?

— На женщину, которая не хочет жить по его правилам. Ей противно быть членом «клуба». Короче, она написала заявление об уходе.

— Ну и что ты от меня хочешь?

— Совет. Как ты думаешь, отдавать ей трудовую книжку или дождаться, пока Большой Фил появится, и доложить ему? Все-таки его протеже. Кстати, не знаешь, он будет сегодня?

— Карловна говорит, что вряд ли, — осторожно ответила Нана.

Если Саша — убийца, то он теперь появится очень не скоро, через много лет, когда у издательства уже будет другой хозяин. А если нет? Если он оговорил себя, чтобы спасти Андрюшу? Сколько времени понадобится следствию, чтобы во всем разобраться? Неделя? Месяц?

— Ну так что делать-то? — настойчиво теребил ее Степан. — Дай совет, ты же все-таки давно с ним дружишь, знаешь его характер.

— Отпусти ее, Степа, пусть забирает трудовую и уходит.

— А может, заставить отработать две недели, как положено? И пусть шеф сам принимает решение. А то начнется потом...

— Отпусти, — повторила Нана. — Так будет лучше.

Разговаривая по телефону, она не сводила глаз со стоящего в углу кабинета высокого растения в большом керамическом горшке, зеленом с желтыми стрекозами. Сашин вкус. Ей этот горшок совсем не нравился, но что она могла поделать, если директор сам сделал выбор, заказал горшки в фирме и заполонил ими в приказном порядке все издательство. Ему нравится — и, значит, у всех в кабинетах должно это стоять. Аксель в три с половиной оборота с шагов. Надо будет Вере Борисовне рассказать про этот аксель, вот она посмеется-то!

Антон принес ксерокопию листов журнала выдачи разовых пропусков за 7 марта. Список оказался внушительным: накануне праздника огромное количество людей приходило, чтобы поздравить работающих в издательстве женщин. Авторы приносили цветы и подарки своим редакторам и корректорам, заинтересованные лица тащили подношения дамам-секретарям, представители книготорговых организаций оказывали знаки внимания отделу продаж, журналисты закрепляли финансово выгодные контакты с рекламщиками и пиарщиками. К счастью, Олег Баринов ограничил сферу поиска временем между шестнадцатью и восемнадцатью часами.

Удалось установить, что пистолет пропал в интервале от 16.20 до 18.00, но ведь человек мог прийти и раньше, а в указанное время уже выходить. К счастью, к концу рабочего дня поток «поздравителей» заметно поубавился, и в списке вечерних посетителей осталось всего девять человек: четыре автора, трое журналистов, директор типографии, в которой «Новое знание» иногда размещало заказы, требующие хорошей полиграфии, и представитель фирмы «Азалия».

— А этот-то зачем приходил? — удивилась Нана.

«Азалия» была той самой фирмой, откуда в издательство 5 марта привозили горшки и цветочный грунт.

— Приехал брак забрать. Горшков было много, проверить все в момент доставки невозможно, и с фирмой договорились, что они привезут процентов на пятнадцать больше горшков, чем реально нужно, а через день заберут брак. Трещины, отколовшиеся края, облезшая глазурь и так далее. Оплата будет производиться по факту, — пояснил Антон.

— И все-то ты знаешь, — усмехнулась Нана.

— Не все, — с улыбкой возразил Тодоров. — Просто я тоже удивился, зачем этот мужик приезжал, и начал выяснять. Тем более я понимал, что ты наверняка спросишь. Вот ты и спросила. Хочется, знаешь ли, выглядеть в твоих глазах толковым сотрудником, а то, не ровен час, уволишь.

— Боишься работу потерять?

— Ты прекрасно знаешь, что не боюсь, — очень серьезно ответил Антон. — Я боюсь другого. Ладно, давай авторами займемся. Кто из них был на вечеринке в клубе?

Нана достала другой список, по которому рассылались приглашения в клуб. Потом еще один, точно такой же: с этой копией один из сотрудников службы безопасности находился у входа в клуб и отмечал имена прибывших. Выходило, что из четырех авторов, посетивших издательство «Новое знание» вечером 7 марта, приглашения посылались троим, а в клуб пришли только двое. Один из них — пожилой весельчак и выпивоха, не пропускающий ни одного мероприятия, на которое его приглашают, поскольку страсть как любит халяву, другого спокойно можно причислить к мужчинам, положительным во всех отношениях: серьезный научный работник, публикующий в издательстве серию брошюр по истории европейских столиц. Нана и Антон сошлись во мнении, что эти два человека вряд ли будут красть оружие, а потом убивать Катерину. Зачем им это? Мотива нет. И неприязни к директору издательства они не испытывают, гонорары получают вполне достойные, и относятся к ним здесь, как и ко всем авторам, вежливо и предупредительно.

Настала очередь троих журналистов, но очень быстро выяснилось, что в клуб их не приглашали. А уж о директоре типографии и представителе флористической фирмы и говорить нечего.

— Слушай, — Нана тряхнула головой, словно пытаясь придать мыслям новое направление, — а чего мы с тобой так уперлись в вечеринку? Почему мы решили, что тот, кто убил, обязательно был в клубе? Ну украл пистолет — и украл, украл и застрелил Катерину, а клуб-то тут при чем?

— При том, что человек должен был точно знать, что имеет смысл ждать Катерину в подъезде после полуночи. Откуда он может это знать, если не был в клубе и не видел ее там?

— Но он мог ее выследить. Стоял возле дома, увидел, что она поехала куда-то, отправился следом... и так далее. И потом, Тоша, мы не знаем точно, из какого пистолета застрелили Катю, из нашего или нет, поэтому мы вообще не должны об этом думать. Наша задача — найти вора. Ведь вполне может быть, что человек украл оружие и сидит себе спокойно дома, любуется на новую игрушку, а Катю убили из другого «ИЖа».

Антон несколькими ловкими движениями сложил все списки в одну стопку, выровнял края и аккуратно положил на стол.

— Нана, Катерину убил кто-то из Филановских. Один из них признался, другой его покрывает. Они оба имели возможность зайти в дежурку и взять пистолет, Андрею пропуск не нужен, он приходит в издательство как к себе домой, и седьмого марта он приходил, я сам его видел, он приносил цветы Анне Карловне. Это было около пяти вечера. О шефе я вообще не говорю. Чем мы тут с тобой занимаемся? Неужели ты веришь, что в течение одних суток может быть совершено два разных преступления, в которых задействованы два разных пистолета одной и той же марки и которые касаются одного и того же издательства? Веришь?

Нана снова посмотрела в угол, на высокое растение в фисташково-зеленом горшке. Тройной аксель с шагов...

— Тоша, я не верю, что Саша или Андрей могли убить Катю, — тихо сказала она. — Я готова поверить во что угодно, только не в это. Лучше я буду верить в совпадения.

* * *

Любовь Григорьевна готовилась несколько дней. Обдумывала, что сказать, как сказать, как одеться. Она не хотела пользоваться машиной с водителем, работу которого оплачивает Саша: водитель предан хозяину и ничего от него не скрывает. Долго соображала, как вызвать такси — за последние годы она совершенно разучилась справляться самостоятельно с такими бытовыми проблемами, все за нее делал и решал Александр. Она не думала о том, какие продукты лучше и где их купить — это делала домработница, за которую платил племянник, она не знала, в каких аптеках продаются нужные матери лекарства и средства по уходу — для этого есть опытные сиделки с медицинским образованием, которые тоже получали зарплату из рук Филановского, она представления не имела о том, как оформить поездку за границу и получить визу и что делать, когда заканчивается срок действия загранпаспорта — все эти и многие другие проблемы Саша решал сам.

На такси подъехала к издательству, попросила водителя поставить машину в сторонке, там, куда не достает всевидящее око камеры видеонаблюдения, и стала ждать. Без четверти шесть. Если Колосов работает, как все, то скоро он выйдет. Узнает ли она его? Прошло двадцать пять лет, четверть века. С ума сойти!

Ждать пришлось не очень долго, Дмитрий вышел минут через двадцать. Постаревший, но все такой же красивый, и прическа такая же, как была когда-то, только черные как смоль волосы стали наполовину седыми. Любовь Григорьевна почему-то была уверена, что он сядет в машину, но Колосов неторопливо направился в сторону метро. Ну что ж, там она его и встретит.

У метро она велела водителю ждать и вышла. А вот и Дима, идет, погруженный в свои мысли, на губах чуть заметная улыбка. Мечтает о чем-то приятном? Ну само собой, о деньгах Филановского и мечтает.

Любовь Григорьевна сделала несколько шагов ему навстречу.

— Здравствуй, Дима, — сказала она и с неудовольствием поняла, что голос-таки дрогнул. А ведь она собиралась быть жесткой и суровой.

Колосов остановился, словно споткнулся, на лице мелькнула растерянность.

— Люба?

— Чему ты так удивляешься? Ты же сделал все для того, чтобы мы с тобой встретились. Ты ничего не просил в своих письмах, только напугать меня старался. Стало быть, ты предполагал, что просьбу будешь высказывать при личной встрече. Ну, так я тебя внимательно слушаю. Чего ты хочешь?

Голос ровный, уверенный. Хорошо. Она справилась.

— Нас увидят, — торопливо проговорил Колосов. — Сейчас все наши идут к метро. Давай куда-нибудь зайдем.

Они дошли до угла, свернули в переулок и оказались перед входом в кофейню. Любовь Григорьевна решительно толкнула дверь, даже не оглянувшись на своего спутника. Вот так, пусть знает, кто хозяин положения и кто принимает решения. Уж во всяком случае, не он. Проходимец. И шубку надо сбросить ему на руки, как прислуге. И место выбрать самой. Только не у окна, подальше, в глубине зала, лучше в уголке, где мало света. Даже если сюда забредет кто-нибудь из сотрудников издательства, они вряд ли сумеют разглядеть в этом подвальном полумраке тетку шефа.

Они так и не обменялись ни единым словом, пока официантка не принесла ей чай в крутобедром фарфоровом чайничке, а Колосову — виски в широком толстостенном стакане.

— Ну, так чего ты хочешь от меня? — снова спросила Любовь Григорьевна.

Дмитрий сделал маленький глоточек из своего стакана и вымученно улыбнулся.

— Ты отлично выглядишь. Почти не изменилась.

— Ты тоже, — сухо констатировала она. — Мы будем обмениваться комплиментами или перейдем к делу?

Он набрал в грудь побольше воздуха, и это не укрылось от Филановской. Надо же, вынашивал свой план, вынашивал, а как до дела дошло — произнести не смеет. Тоже еще шантажист... Никогда ничего не мог, ни на что у него решимости не хватало, ни тогда, двадцать пять лет назад, ни сейчас, только в мыслях и намерениях храбрый.

— Мне нужны деньги, — выговорил он не без труда.

— Сколько? — спокойно спросила Любовь Григорьевна, поскольку ничего другого и не ожидала.

— Двести тысяч долларов.

— Зачем?

— А это важно? — ответил Колосов вопросом на вопрос.

— Для меня — да. Так зачем?

— У меня больной ребенок. Дочь. Мне нужны деньги.

— Чем она больна?

— Диабет.

— Тогда при чем тут деньги? Диабет не лечится при помощи денег нигде в мире. Не надо спекулировать на больном ребенке, это неприлично. Или постарайся быть честным, или у нас ничего не получится.

Она налила немного чаю в изящную чашечку, отхлебнула и удовлетворенно улыбнулась. Чай оказался превосходным, только слишком горячим, пусть немного остынет.

— Так на что ты собрался потратить двести тысяч долларов? На дорогую машину? На квартиру? На дачу? На что?

— На квартиру. Я устал жить в нищете и тесноте. Если бы ты видела, как мы живем, ты бы не спрашивала. Девочка больна, мы не можем отдать ее в садик, потому что там некому за ней следить и вовремя делать ей уколы, жена из-за этого не работает, мы перебиваемся на мою зарплату и дочкину пенсию. Я не хочу больше так жить.

— Но ты будешь так жить, — безжалостно сказала Любовь Григорьевна. — Ты все равно будешь жить именно так. Потому что ты купишь квартиру, обставишь ее хорошей мебелью, и на этом деньги закончатся. Твой ребенок все равно будет болеть, и твоя жена все равно будет сидеть дома, с той лишь разницей, что дом будет попросторнее и побогаче. И жить вы будете на одну зарплату и одну пенсию. Твоя проблема никак не решится.

— Тебе легко рассуждать! — Он слегка повысил голос, но тут же осекся и заговорил тише: — Ты всю жизнь прожила в хоромах при богатых родителях, и ты не понимаешь, как много значит достойное жилье. Или ты дашь мне двести тысяч, или твои племянники узнают, что ты собиралась их убить.

— У меня нет таких денег. Откуда?

— Возьми у Александра, у него есть.

— На что? Как я ему объясню, зачем мне такая сумма?

— Это не моя забота! — В голосе Колосова послышалась агрессивность. — Придумай, если не хочешь, чтобы они узнали правду.

— Дима, Дима, — мягко и чуть насмешливо проговорила она и сделала большой глоток ароматного чая, — ты ничуть не изменился за эти годы, ничуть не повзрослел, так и остался мальчишкой, только поседел. У тебя есть проблема, а как ее решать — должна придумать я. Ничего не напоминает? Двадцать пять лет назад ты, нищий инженер, вчерашний выпускник института, решил жениться на богатой старой деве при хоромах, как ты выразился, и маме с деньгами и возможностями и тем самым разом решить все свои финансовые и жилищные проблемы. А как сделать так, чтобы эта старая дева вышла за тебя замуж, она же сама и должна была придумать. Заметь, не ты, а она, ты умел придумывать только условия: чтобы было где жить и на что жить, и чтобы теща не мешала, и чтобы дети были только свои, никаких чужих племянников. Прошло двадцать пять лет. Старая дева за это время стала выдающимся специалистом в своей области, написала кучу серьезных монографий, учебников и научно-популярных книг, воспитала целую плеяду учеников и возглавила направление в науке. А чего добился ты за четверть века? Занимался тем, что женился и разводился в поисках выгодной партии? Или чем-то более существенным? В который раз ты женат?

— Во второй. Ну хорошо, допустим, ты права, я ничего не достиг. И что с того? Мне все равно нужны деньги, и я хочу, чтобы ты мне их достала.

— Нет, — отрезала Любовь Григорьевна.

— Тогда я всем расскажу. Не только твоим племянникам, а всем. Все узнают, что ты собиралась сделать, на что меня подбивала. Ты этого хочешь?

— Дима, если ты это сделаешь — я умру.

И денег ты все равно не получишь. Ты можешь выйти на площадь и кричать о том, что я убийца, но я повешусь или выброшусь из окна, и с кого ты будешь требовать свои деньги? Даже если я останусь жить, если у меня не хватит решимости умереть, я тебе все равно не заплачу, потому что в этом не будет никакого смысла. Все и так будут знать, что я — убийца, если, конечно, поверят тебе, в чем я очень сомневаюсь, так за что мне платить тебе? Моя жизнь станет невыносимой, тяжелой, полной страданий, но твою-то проблему это никак не решит. Ты все равно будешь жить так, как живешь сейчас. Я предлагаю тебе другой вариант.

Колосов насупился, поднял стакан, выпил виски одним глотком.

— Какой?

— Я буду заниматься с твоей дочерью. Если не хочешь, чтобы это была лично я, заниматься будет кто-нибудь из моих учеников, кто хорошо владеет методиками. Я много повидала детей-инвалидов, которых из-за болезни не отдавали в детский сад и в школу, я знаю, как с ними работать, чтобы они быстро развивались, чтобы как можно раньше раскрывались их способности, а у кого есть — и таланты. Общение со сверстниками необходимо для развития навыков адаптации и для последующей социализации, без этого общения даже самый талантливый от природы ребенок не найдет своего места в обществе и в жизни. Поверь мне, я знаю, о чем говорю. И я умею преодолевать эту проблему, я умею делать из больных детей, сидящих дома, активных, полноценных и успешных людей. Твоя девочка с блеском окончит школу и поступит в институт, это я могу тебе гарантировать. Она получит ту профессию, какую сама выберет, а не ту, которую дают в вузах, куда поступить полегче. Она станет высококлассным специалистом и будет заниматься любимым делом и зарабатывать хорошие деньги. Она не станет здоровой, но она будет счастливой. Вот это я могу тебе обещать.

— Мне нужны двести тысяч, — угрюмо повторил он.

— У меня их нет. У меня есть только мои знания и умения, и их я готова предоставить тебе в полном объеме. Я вольна распоряжаться только этим. Бери, если хочешь. Если нет — значит, нет. Но больше мне нечего тебе предложить. Больше у меня ничего нет.

— Неправда. Все издательство знает, какие твой племянник дарит тебе цацки. Бриллианты, изумруды, платина. Ты можешь все это продать.

— Дима, Дима... — Любовь Григорьевна укоризненно улыбнулась, — ну как же ты не можешь понять? Это же так просто. Я дам тебе денег, ты пойдешь на базар и купишь на них рыбу. Рыбу вы съедите, и деньги рано или поздно кончатся. Я предлагаю тебе научить твою дочь ловить рыбу самостоятельно, и тогда ни она, ни вы с женой не будете зависеть от того, даст добрый дядя вам денежек или пожадничает, и вам придется подыхать с голоду. Нельзя ставить свою жизнь в зависимость от чужих денег, надо все делать самому, только так можно быть уверенным в завтрашнем дне. Квартира, которую ты купишь, может сгореть вместе с чудесной новой мебелью, а образование, которое получит твоя девочка, ее умения и навыки, ее профессия никуда не денутся, они всегда будут с ней и, значит, с тобой, и они всегда принесут вам кусок хлеба. И еще одно, Дима: если твоя дочь будет сидеть дома в обществе твоей жены, пока не станет разумной и самостоятельной, она никогда не будет счастливой, потому что твоя жена сможет научить ее читать, писать и считать, но она никогда не даст ей возможности развиваться так, как развивались мои племянники. Ты же видел их, правда? Им было по двенадцать лет. Вспомни, какими они были, как много знали и умели. И посмотри, чего они добились. Саша — состоятельный бизнесмен, владелец известного на всю страну издательства, Андрюша читает лекции и пишет книги, он разработал свои собственные теории, может быть, спорные, но очень и очень неординарные, у него совершенно нестандартное мышление. И твоя дочь будет такой же, даже, наверное, лучше, потому что за долгие годы я наработала много новых методик и много чему научилась. Ты просишь у меня денег всего лишь на квартиру. Я предлагаю твоему ребенку обеспеченное и счастливое будущее.

— Я не могу ждать, пока настанет это счастливое будущее! Я хочу сегодня, сейчас, сию минуту начать жить, как нормальный человек! Я хочу, чтобы мой ребенок жил в светлой просторной квартире, чтобы у нее были хорошие игрушки и хорошая одежда. Сейчас, а не через двадцать лет. Ты можешь это понять?

— Могу, — кивнула Любовь Григорьевна, — могу, Дима. У нее будет просторная светлая комната в твоей новой квартире, хорошие игрушки и хорошая одежда. Но чему это поможет, когда через двадцать лет она окажется одна в огромном мире, к которому не умеет приспособиться? У нее не будет навыков общения с людьми, она будет их бояться, она не сможет учиться в институте и не сможет нигде работать, потому что до пятнадцати лет просидела дома у маминой юбки и ничего сложнее таблицы умножения не выучила. У нее будет куча проблем, и ни хорошие игрушки, ни хорошая одежда, которые у нее были в раннем детстве, этих проблем не решат. Если заниматься с ней по моим методикам, то через год она спокойно пойдет в школу и будет правильно подсчитывать хлебные единицы, делать себе уколы и ни за что не съест того, чего есть нельзя.

— Это все слова.

— Да, — согласилась она, — это слова, но ты их не слышишь, потому что думаешь только о деньгах. Да забудь ты о них, наконец! Ты живешь во власти мифов, ты им веришь и не хочешь думать сам, потому что за тебя уже все давно придумали. Власть денег — это миф, Дима. И то, что деньги решают все, — это тоже миф. Они решают действительно многое, но далеко не все. Твоя проблема не в том, что у тебя мало денег, а в том, что твоя дочь может не стать счастливой. Но эту проблему за двести тысяч долларов не решить. Я же предлагаю тебе решение.

Колосов помолчал, достал из кармана пачку сигарет и зажигалку.

— Не возражаешь, если я закурю?

— Я и раньше не возражала, — улыбнулась Филановская. — Мне нравилось, что ты куришь, тебе идет. Дима, обещай мне подумать над моими словами. И перестань присылать мне эти дурацкие письма. Захочешь поговорить — позвони.

Она вытащила кошелек, положила на стол свою визитку с номерами телефонов и пятисотрублевую купюру и встала.

— Не провожай меня.

Сделала шаг, остановилась, обернулась к Колосову.

— Как зовут твою девочку?

— Татка, — рассеянно ответил он, стряхивая пепел с кончика сигареты. — Тамара.

— Значит, Тамара, — усмехнулась Любовь Григорьевна. — Надо же, как она тебя... Столько лет прошло, а ты все забыть не можешь. Видел бы ты ее сейчас! Старая, морщинистая, сумасшедшая.

Колосов поднял на нее глаза, в которых блеснуло что-то похожее на нежность.

— Она меня от греха отвела. Пока жив, буду ей благодарен за это. И ей, и мальчикам. Знаешь, Люба, столько лет прошло, а я так и не понял, как можно было их ненавидеть. За что?

— Тебе не понять, — холодно сказала она, поудобнее перехватывая дорогую сумочку из натуральной кожи. — Всего доброго. Звони.

* * *

Виктор Евгеньевич Огнев совсем замучился, допрашивая по очереди братьев Филановских. Он не сомневался, что один из них — убийца, а другой пытается спасти любимого брата, но быстро и ловко разобраться, кто есть кто, у следователя не получалось. Оба с уверенностью говорили о собственных мотивах, и получалось довольно убедительно. Правда, некоторые, совсем небольшие расхождения имелись в описании момента убийства, а также по эпизоду о краже пистолета, но ведь Огнев и сам не знал, как было на самом деле, поэтому не мог отличить правдивые показания от ложных. Что же касается ответа на вопрос, а куда, собственно, этот самый пистолет делся после убийства, то тут братья были на удивление единодушны: ни тот, ни другой этого не помнили. «Был в шоке, ничего не соображал, куда-то выбросил, куда — не помню». Оба признавшихся находились после убийства на свободе и могли обмениваться любой информацией, в том числе и подробностями о совершении преступления. Если преступник — Андрей Филановский, то брат, узнав о его признании, поспешил на выручку и оговорил себя. Если же оговорил себя Андрей, чтобы спасти брата, то получалось, что Александр, узнав об этом, явился с повинной, потому что не мог допустить, чтобы его брат безвинно пострадал. В общем, ничего не получалось... Однако братья вели себя по-разному, Александр был агрессивно-напорист, Андрей, напротив, меланхолично-спокоен, и поскольку с директором издательства Виктор Евгеньевич чувствовал себя не очень уверенно, он решил усилить давление на Андрея, который по крайней мере хоть голос не повышает. И вообще, он как-то мягче, с ним проще.

Кроме того, следователя не покидала мысль о том, что все это — мастерски разыгранный спектакль. Кто-то из братьев убил Екатерину Шевченко, а потом они договорились признаться. Оба. И пусть следствие голову ломает. Как сломает окончательно — так их и отпустят, потому что разобраться не смогут. При таком раскладе, решил Огнев, надо вбивать между братьями клин и разрушать их идиллическое единство. И здесь ему очень пригодилась информация, добытая Олегом Бариновым.

— Гражданин Филановский, — начал Огнев издалека, — вам что-нибудь говорит имя Веры Синько?

— Да, я ее знаю. Вернее, раньше знал. Я давно ее не видел.

— Расскажите об обстоятельствах вашего знакомства.

Филановский рассказывал, Огнев терпеливо слушал. К его удивлению, Андрей ничего не скрывал, даже о попытках самоубийства поведал.

— Вы говорите, что Синько дважды пыталась покончить с собой. В первый раз — из-за того, что вы не ответили на ее чувства. А во второй раз из-за чего? Вы что, продолжали с ней встречаться и давали ей какие-то надежды?

— Нет, я с ней больше не встречался.

— Тогда почему была вторая попытка?

Филановский молчал, уставившись глазами в пол.

— Отвечайте, Филановский, — потребовал следователь.

— Я не знаю. Я с ней больше не встречался и не знаю, из-за чего она во второй раз решила это сделать.

А в глаза-то по-прежнему не смотрит, злорадно отметил Огнев. Вот мы сейчас тебя и уделаем, как бог черепаху.

— Ну, раз вы не знаете, тогда я вам расскажу. Возможно, это освежит вашу память. Два года назад Вера Синько впала в тяжелейшую депрессию, поскольку узнала о вас нечто крайне неприятное. Вас обвинили в попытке изнасилования.

— Это было недоразумение, — быстро сказал Филановский. — Во всем разобрались и дело прекратили.

— Ну разумеется, разумеется, — закивал головой Огнев. — Конечно же, это было недоразумение. Только дело прекратили не потому, что якобы во всем разобрались, а уничтожили все документы, потому что ваш брат за это заплатил. И не делайте вид, что вам об этом не известно.

— Я не хочу это обсуждать. К убийству Кати это не имеет отношения.

— Вы так думаете? — скептически осведомился следователь. — А вот у меня другое мнение. Вы и ваш брат, оба, признались в этом убийстве, и моя задача — разобраться, кто из вас лжет. И я очень сильно подозреваю, что лжете именно вы. Вы точно знаете, что Александр — убийца, и стараетесь его выгородить, взять вину на себя. Вас можно понять, Александр ваш близнец, самый близкий кровный родственник, вы его очень любите. В других обстоятельствах ваше намерение помочь брату выглядело бы даже похвальным. Но вернемся к Вере Синько. В декабре прошлого года у нее снова случилась депрессия, и это после довольно длительного и достаточно успешного лечения. Знаете, почему?

Филановский по-прежнему молчал. Ну, сейчас ты получишь, подумал Огнев. Сейчас тебе мало не покажется. Посмотрим, что ты запоешь и как будешь выгораживать своего братца после этого. Скорее всего, в течение десяти минут ты его в дерьме утопишь.

— Вера узнала, что напрасно думала о вас плохо, когда поверила, что вы способны изнасиловать женщину. Ей казалось, что она предала вас. А знаете, что случилось три месяца назад? Ей стало достоверно известно, что вас умышленно оговорили, ей призналась в этом Наталья Белоголовцева, та самая девушка, которая написала на вас заявление в прокуратуру. И еще Наталья ей рассказала, что сделала это не по собственной инициативе. Ее попросили сделать это, и даже деньги заплатили. И знаете, кто? Ваш брат Александр! — торжествующе произнес Виктор Евгеньевич.

Филановский даже не вздрогнул. Он поднял на следователя спокойные глаза и произнес:

— Да, я об этом знаю.

— Что вы знаете?! — взорвался Огнев.

— Знаю, что Саша это сделал.

— Откуда?!

— Мне сказал отец Веры.

Черт знает что! Выстрел вхолостую. Нельзя терять лицо, нельзя показывать, что застигнут врасплох, надо продолжать допрос как ни в чем не бывало... Но мысли у следователя как-то бестолково замельтешили в голове, он никак не мог сообразить, в какую сторону двигаться дальше, и решил задавать первые попавшиеся вопросы, чтобы дать себе время собраться и сосредоточиться.

— Значит, с Верой вы не виделись, а с ее отцом общались?

— Николай Иванович приходил ко мне несколько раз.

— Когда именно?

— Впервые — после первой попытки суицида. Потом еще раз, два года назад, когда была вторая попытка. Потом в декабре прошлого года, и еще раз совсем недавно, дня за три до... до убийства Кати. Это имеет какое-то значение?

— В этом кабинете все имеет значение. Зачем он к вам приходил?

— В первый раз он пытался уговорить меня полюбить Веру или по крайней мере не отталкивать ее. Николай Иванович был в отчаянии. Он очень любит дочь и пытался помочь ей, как умел. Во второй раз он пришел со скандалом и обвинениями, называл меня кобелем и развратником, говорил, что в болезни Веры виноват я. И это тоже можно понять. Я не сердился на него. А в декабре он пришел, чтобы извиниться и рассказать мне про Наташу Белоголовцеву. В тот момент я был дома один, и он решил, что я расстался с той женщиной, которая была со мной, когда я отказал Верочке. Он снова пытался уговорить меня обратить внимание на его дочь, уверял, что никто никогда не будет любить меня так, как она, и я могу сделать ее счастливой и здоровой... Это было очень тяжело. И недавно он пришел снова, с этой же идеей. Только дома была Катя, и Николай Иванович ее увидел и понял, что я не один и уговаривать меня бессмысленно.

Ну вот, кажется, мысли пришли в порядок. Виктор Евгеньевич приободрился.

— И как вы отреагировали, когда узнали, что ваш брат заплатил Белоголовцевой за заведомо ложный донос?

— Никак, — Филановский едва заметно пожал плечами. — Сделал для себя выводы.

— Какие?

— Это мое дело. К убийству Кати это не имеет отношения.

— Вы уж позвольте мне самому решать, что имеет отношение, а что не имеет, — сердито сказал Огнев. — Я повторяю свой вопрос: как вы отреагировали, узнав, что ваш брат сделал вам такую гадость? Устроили ему скандал, выясняли отношения или, может быть, затаили злобу и выжидали, когда подвернется возможность отомстить? Что вы сделали?

— Ничего. Я ничего не сделал.

— А ваш брат? Он, наверное, чувствовал себя очень неудобно, когда выяснилось, что вы все знаете.

— Это не выяснилось.

Самообладанию Филановского можно было завидовать черной завистью.

— То есть как? Он не знает, что вам все известно?

— Не знает. Я ничего ему не сказал.

— Но почему? Почему вы промолчали?

— А зачем говорить? Вы совершенно правы, он действительно чувствовал бы себя крайне неудобно, если бы узнал, что мне все известно. Я не хочу доставлять брату неприятные ощущения. И что изменилось бы, если бы я поговорил с ним? Прошлое от этого не изменится, а будущее можно испортить. Саша все равно не станет другим, он такой, какой есть. Так что толку в разговорах, выяснениях и объяснениях?

— И вам даже неинтересно было узнать, зачем он это сделал?

— Я и так понял. Он хотел, чтобы я жил в соответствии с его представлениями о правильной жизни. Саша хотел, чтобы я жил, как и он, в загородном доме и ездил на дорогой машине, а мои заработки этого не позволяли. Он много раз пытался подарить мне и дом, и машину и страшно сердился, когда я отказывался. Он не понимал причины моих отказов. Он стремился любой ценой сделать меня таким же, как он сам, богатым и успешным, потому что искренне верил, что смысл жизни именно в этом. Он хотел, чтобы я перестал ездить по всей стране и проводить семинары, он хотел, чтобы я больше зарабатывал, потому что за семинары я получал очень немного, я не хотел, чтобы билеты были дорогими, для меня важно, чтобы мои семинары были доступны людям с любым уровнем достатка. А Саша считал, что я валяю дурака и распыляюсь по мелочам, что я должен сидеть дома и писать книги, он будет их издавать большими тиражами, успешно продавать и платить мне высокие гонорары. Он много лет давил на меня, пытаясь уговорить и заставить жить по его правилам, а я не поддавался. Тогда он решил меня испугать. Всего лишь испугать. Подозреваю, что со следователем в прокуратуре он договорился заранее, и с интернетчиками тоже договорился, чтобы позорящие меня материалы в течение нескольких дней оставались доступными в Сети. Их мало кто успеет прочитать, но страху я натерплюсь. Сашка не собирался уничтожать мою репутацию, он всего лишь хотел, чтобы я испугался, и пошел ради этого на крайние меры. Он совершенно не мог смириться с тем, что я живу не по его правилам, что я не слушаюсь его, ведь я — брат-близнец, я — его неотделимая часть, его половинка, понимаете? Я — его собственность, и он стремился распоряжаться моей жизнью по своему усмотрению. После той истории с Наташей я действительно на целый год перестал проводить семинары, Саша постоянно говорил, что я доигрался, что он меня предупреждал, что на мои семинары ходят только экзальтированные девицы, готовые до смерти влюбиться в своего учителя и способные на что угодно, если он не обращает на них внимания. Одно время мне даже казалось, что он прав. К тому времени книга уже была в работе в издательстве, и Саша был уверен, что дальше все пойдет как по маслу. Я впервые получу в руки большие деньги и соблазнюсь... Ваше любопытство удовлетворено?

Ну что ж, с паршивой овцы, как говорится, хоть шерсти клок. Между братьями Филановскими имеет место быть некий конфликт, в котором одна сторона чувствует себя оскорбленной, а другая — глубоко виноватой. Может быть, мотив самооговора лежит где-то здесь. В любом случае надо официально допросить отца Веры Синько, авось пригодится.

Следователь велел увести Андрея и позвонил Олегу Баринову:

— Дай-ка мне телефончик Синько, хочу папашу на допрос вызвать.

* * *

— Ты прости, Олег, но толку от меня больше никакого, — сказал Антон Тодоров, разводя руками. — Весь список посетителей мы прошерстили, ничего интересного не накопали.

Они сидели в баре неподалеку от издательства «Новое знание», ели полуфабрикатную резиновую пиццу, пили кофе и с завистью поглядывали на соседние столики, за которыми посетители пили темное густое пиво. Ни оперативник, ни сотрудник службы безопасности пива до конца рабочего дня позволить себе не могли.

— Ну что ты, — успокаивал Антона Баринов, — ты и так мне здорово помог. Столько информации выдал! Без тебя я бы ее год собирал, да еще неизвестно, собрал бы или нет. Но шеф ваш — та еще фигура, я тебе доложу. Это ж надо было такое придумать с изнасилованием! Уму непостижимо! Ладно бы еще с врагом своим он так разобрался — ну, это я бы понял, но с любимым братом... Вообще запредельно. Вот ты можешь мне объяснить, зачем он это сделал?

— Нет, — покачал головой Антон. — Не знаю. У тебя мобильник звонит.

— Да слышу, — с досадой откликнулся оперативник, судорожно пережевывая изрядный кусок пиццы, чтобы побыстрее проглотить его. — Блин, пожрать не дадут.

— А ты не отвечай, — ехидно посоветовал Антон.

Баринов взглянул на дисплей и мотнул головой.

— Не, нельзя, это следак, надо ответить. — Он нажал кнопку и прорычал: — Але, у аппарата.

— Дай-ка мне телефончик Синько, хочу папашу на допрос вызвать, — потребовал Виктор Евгеньевич.

— Синько? Сейчас, секунду, бумажку найду.

Антон насторожился. Синько, Синько... Только сегодня он видел эту фамилию. Где же? Ах да, конечно, это работник фирмы «Азалия», который 5 марта сопровождал доставку цветочных горшков, а через день, 7 марта, приезжал, чтобы забрать брак. Синько Николай Иванович.

Олег положил трубку на стол и обеими руками выгребал из всех карманов какие-то бумажки, визитные карточки и кассовые чеки.

— Кто такой Синько? — шепотом спросил Антон.

— Отец Веры Синько, той девушки, которая по уши втюрилась в Андрея и пыталась от неразделенной любви с собой покончить. Черт, куда ж я телефон-то задевал?

— А зовут его как? Николай Иванович?

— Да хрен его знает, как его зовут. А, вот, нашел.

Олег потянулся к трубке, но Антон перехватил его руку.

— Ты можешь узнать имя и отчество? Спроси у следователя.

— Зачем?

— Надо, Олег, очень надо. 7 марта в издательстве был некий Синько, и как раз в то время, когда пушку увели.

— Понял, — быстро сказал Баринов и схватил телефон. — А кстати, Витя, не знаешь, как его зовут, этого Синько? Николай Иванович? Ты знаешь чего, ты ему не звони пока, я сам его к тебе привезу, так надежней будет. Ну, есть у меня кое-какие задумки.

Залпом допив остывший, сомнительного вида кофе, Олег умчался, а Антон вернулся в издательство и сразу зашел к Нане.

— Ты оказалась права, — констатировал он, рассказав о встрече с оперативником. — И как ты учуяла, что надо прорабатывать списки посетителей? Ведь это занятие казалось совершенно безнадежным. У тебя интуиция, что ли?

— У меня характер фигуристки, — рассмеялась Нана. — Программу надо докатывать до конца, даже если все в ней безнадежно провалено и ни один элемент не получился. Даже если ты понимаешь, что при двадцати четырех участниках ты займешь двадцать пятое место, все равно надо кататься до конца.

* * *

Николай Иванович Синько, майор в отставке, был человеком простым и прямолинейным. Если есть цель — ее надо добиваться, если есть помеха — ее надо убрать. В Афганистане он служил еще в самом начале афганской кампании, и жена вместе с ним там была, медсестрой в госпитале. Спали с оружием под подушкой, а однажды Николай Иванович увидел, как жена моет полы в доме: штаны до колен закатаны, в руках тряпка, а через спину автомат перекинут.

Дочка, зачатая посреди боли, крови, смертей и постоянного страха, казалась ему чудом из чудес, олицетворением самой жизни. Он трясся над ней, дышать на Верочку боялся, исполнял любой каприз, любое малейшее желание. Он был готов убить любого, кто не то что обидит — косо посмотрит на его сокровище.

Когда с Верочкой впервые случилось несчастье, Николай Иванович искренне не мог понять, как же так, ну как же можно не полюбить его замечательную девочку, такую красавицу и умницу. Наверное, это какое-то недоразумение, недопонимание. Она не так объяснила Андрею Филановскому или неправильно поняла его ответ. Совершенно естественным для отца Веры было устранить невнятность ситуации и поговорить с Андреем. Просто и прямолинейно.

То, что сказал ему Андрей, Николай Иванович понял точно так же прямолинейно. У него есть женщина, и, как порядочный человек, он не может ей изменять. Похвально, достойно уважения. Вот если бы ее не было, тогда другое дело, тогда, конечно, он бы смог полюбить Веру.

И так же прямолинейно рассудил он и в тот раз, когда был дома у Филановского в декабре, чтобы рассказать о Наташе Белоголовцевой и извиниться за оскорбления, которыми он, как теперь выяснилось — несправедливо, осыпал Андрея, когда Верочка узнала про историю с изнасилованием и во второй раз попыталась покончить с собой. Андрей был один, и Николай Иванович решил, что той женщины, которой он не хотел изменять когда-то, в его жизни больше нет. Бывшему военному, честному служаке, всю жизнь прожившему с одной женщиной, ему и в голову не приходило, что после «той» у Андрея было еще несколько подруг, менявшихся каждые четыре-пять месяцев. Николай Иванович приободрился и сделал вывод, что коль Филановский теперь один, то у Верочки есть шанс. Он готов был валяться в ногах, умолять и унижаться, лишь бы его девочка перестала болеть, вышла из депрессии и стала наконец счастливой, а счастливой она могла быть только рядом с Андреем, без него ей жить не хотелось. Две попытки самоубийства уже были, и Николай Иванович страшно боялся, что следующая может оказаться доведенной до конца.

Он снова пошел к Филановскому, и снова упрашивал, уговаривал, и все не понимал, почему Андрей говорит: «Это невозможно». Ну почему, почему? Ведь Верочка такая молодая, такая красивая, такая умная, так его любит! Что ему еще нужно?

Оказалось, у него снова есть женщина, Катя, тоже молодая и тоже очень красивая. Прямолинейное мышление доведенного до отчаяния отца подсказало единственный выход: убрать Катю — и путь к сердцу Андрея для Верочки открыт. Кати не станет — и место свободно.

Он всерьез стал обдумывать возможность устранения девушки, но тут вдруг подвернулась нежданная удача: флористическая фирма «Азалия», где работал Николай Иванович Синько, должна доставить груз в издательство, которым руководит брат Андрея. Поедут, кроме водителя, грузчики и ответственный представитель, то есть Николай Иванович. Пока грузчики таскали коробки с цветочными горшками и мешки с грунтом, он стоял на первом этаже, прохаживался взад и вперед, заглядывал от скуки в открытые двери. За одной из таких открытых дверей оказалась комната охранников, и Николай Иванович, сам в прошлом долго прослуживший в армии, поразился беспечности, с какой охрана обращалась с оружием. Они выходили из помещения то в буфет, то в туалет, то еще куда-то, не запирая дверь и оставляя пистолеты прямо на столе, у всех на виду.

Вечером Николай Иванович жестоко укорял себя за нерешительность, за то, что не воспользовался моментом. Ну чего проще было — зайти, взять и уйти. Никто бы и не заметил. Потом вспомнил, что послезавтра ему снова предстоит ехать в издательство, забирать бракованные горшки. Он решил положиться на судьбу: если она к нему благосклонна, то послезавтра ему представится возможность получить оружие. Если же нет, то он придумает что-нибудь другое.

Судьба оказалась благосклонна к майору в отставке Синько, пистолет оказался в его руках. Более того, майор чуть не столкнулся на первом этаже издательства с Андреем Филановским, хорошо, что вовремя заметил его и отвернулся. Значит, и в этом повезло!

Оставалось выследить Катю и улучить момент, когда она будет одна и рядом не окажется свидетелей. Эта задача казалась Николаю Ивановичу самой сложной, ибо он ничего о девушке не знал и совершенно не представлял, где и в какое время она бывает и какими маршрутами передвигается. Поэтому он принял самое очевидное решение: выслеживать ее от дома, где она живет с Андреем Филановским. Походить за ней пару недель, все выяснить и выбрать место и время. В конце концов, можно и в квартире ее убить, когда Андрея не будет дома.

Не откладывая в долгий ящик, Николай Иванович в тот же день явился к дому Андрея и занял позицию. Он видел, как вечером подъехала машина, из нее вышел какой-то мужчина и через минут примерно пятнадцать появился на улице вместе с Андреем и Катей. Они уехали. Синько терпеливо ждал. Может быть, ему повезет и Катя вернется домой одна? Он позвонит в квартиру, она откроет дверь и...

Он очень замерз, к ночи сильно похолодало,

а Николай Иванович утром, уходя из дома, одевался для работы, а не для ночных бдений на мартовских улицах. Зашел в подъезд погреться, нашел под лестницей укромный уголок и пустой деревянный ящик, присел на него и даже задремал. Проснулся, когда услышал голоса. Один был женским, другой принадлежал Андрею Филановскому. «Вернулись, — подумал Синько, мгновенно стряхивая с себя дремоту и превращаясь в туго скрученную пружину. — Вместе вернулись. Значит, не сегодня. Подожду, пока они пройдут, чтобы не сталкиваться с ними в дверях, и пойду домой». Прислушался и почти сразу понял, что Катя и Андрей ссорятся. «Иди проветрись, — услышал он. — Пока не успокоишься, домой не возвращайся».

«Вот оно, — мелькнуло в голове. — Снова повезло. Сейчас Катя войдет в подъезд одна. Ночь, никого нет, все спят... Не может судьба так благоволить делу, которое считает неправильным».

Единственный выстрел оказался смертельным. Майор Синько всегда был отличным стрелком.

Он понимал, что от пистолета надо избавиться, но у бывшего военного рука не поднялась выбросить оружие. Пистолет Николай Иванович принес домой и спрятал. Он как-то совсем не думал о том, что преступление раскроют и его посадят за убийство. Во-первых, он был чрезвычайно низкого мнения о милиции и искренне полагал, что ради неизвестной и ничем не примечательной девушки никто надрываться не станет. А во-вторых, ему было, по большому счету, все равно. Главное сделано: рядом с Андреем больше нет женщины, которая мешает Верочкиному счастью, и отныне все будет хорошо, очень хорошо.

Когда в дверь квартиры позвонили и на пороге появились трое молодцеватого вида мужчин, представившихся сотрудниками уголовного розыска, Николай Иванович даже не пытался делать вид, что не понимает, в чем дело.

— Вы за мной? — спросил он.

— За вами, — подтвердил один из пришедших. — Пистолет у вас?

— Да. Сейчас принесу, — с готовностью ответил Синько.

— Не надо, — другой оперативник, тот, что поплечистее, придержал его за руку, — мы сами, вы только скажите, где он.

Николай Иванович сказал. А чего скрывать? И так все ясно. Главное, Верочка теперь сможет быть с Андреем, она будет счастлива, а остальное значения не имеет. Хорошо, что жена на работе...

* * *

Братьев Филановских отпустили одновременно. Александр сразу же позвонил и вызвал машину, но ее пришлось некоторое время ждать. Братья молчали, и от этого напряженного молчания воздух, казалось, вибрировал вокруг них.

— Есть хочется, — проговорил наконец Александр. — Может, зайдем куда-нибудь, перехватим по-быстрому, пока машину ждем?

Андрей только пожал плечами неопределенно.

— Значит, так, — Александр наконец стал самим собой, — Любе и Тамаре — ни слова, незачем им волноваться. Скажем только, что преступника нашли и задержали, без подробностей.

— Конечно, — коротко ответил Андрей.

— Слушай, Андрюха, ну неужели ты мог подумать, что я убил Катю? Как ты вообще мысль такую допустил? Как у тебя совести хватило? Ты за кого меня принимаешь?

— Но ты ведь подумал, что ее убил я. Ты подумал, и я подумал. Мы в равном положении.

— Э, нет, дорогой мой, мы не в равном положении. Ты первый признался, а я уж потом кинулся тебя выручать. А что я должен был подумать, если ты признался?

— Ты ничего никому не должен, но ты мог бы, например, подумать, что ты хорошо меня знаешь и уверен, что я не могу убить человека. Саш, не морочь мне голову, — устало сказал Андрей. — Ты всегда прав и всегда знаешь, как должно быть, как правильно. Я не собираюсь ничего тебе доказывать, я просто живу так, как живу, и делаю то, что считаю нужным, никому не мешая. Ты же душишь всех окружающих, навязывая им свое представление о правильном и неверном. А я не хочу, чтобы меня душили. Я воздух люблю. Я не хочу, Саня, чтобы ты подминал под себя мою жизнь.

— Я?! — возмутился Александр. — Это я тебя подминаю под себя?! Это, выходит, из-за меня все произошло, да? Сколько раз я тебе говорил, чтобы ты прекратил свои семинары, что бабы тебя до добра не доведут, что ты должен сидеть дома и писать книги, но разве ты меня слушаешься? И вот результат. А ведь я тебя предупреждал. Если бы ты меня послушался, ничего этого не было бы.

Андрей молча шел рядом и тихо улыбался. Они дошли до перекрестка, за углом находился вход в метро.

— Я поеду, — сказал Андрей.

— Куда это?

— Домой. Я устал и хочу спать.

— Не выдумывай. Мы сейчас зайдем куда-нибудь, поедим, дождемся машину и поедем вместе. И не к тебе домой, а в издательство, я там вчера не был, надо порядок навести. Приглашу Стаса Янкевича, и вы с ним сразу же начнете обсуждать план следующей книги.

— Книги? — насмешливо переспросил Андрей.

— Да, да, твоей новой книги. И не одной, а целой серии книг. Все, Андрюха, хватит дурака валять, пора браться за ум. С семинарами ты завязываешь раз и навсегда, я сделаю из тебя величайшего публициста современности. Я тебя так раскручу! Станешь богатым и знаменитым. Еще спасибо мне скажешь.

— Саня, ты помнишь, как Люба когда-то сказал нам, что у нас нет ничего своего?

— Помню, а как же. А что?

— А то, что с этого момента мы с тобой стали совсем разными. Я сказал себе: если нет ничего моего, то и не нужно. А знаешь, что ты сказал себе?

— Ну и что же, интересно? — прищурился Александр.

— Ты сказал: «Ах, ничего нет? Так будет! Все будет мое!» И знаешь, что самое смешное? У тебя это получается. Ты гребешь под себя людей вместе с их мыслями, чувствами, желаниями, вместе с их жизнью, а они по наивности принимают твое собственничество за любовь к ним и смотрят тебе в рот. Нет, ты их действительно любишь, но не как людей, не как личности, а как вещи, которые ты купил и можешь считать своими. Ты всех держишь цепко, никого от себя не отпускаешь. Получается практически со всеми. Кроме меня. Со мной не получится, Саня.

Он улыбнулся и обнял брата.

— Пока, Саня. Я тебя люблю. Но я никогда не буду твоей игрушкой.

Легко взмахнул рукой в знак прощания и быстро пошел к метро.

* * *

Никита вернулся со сборов всего на два дня, через два дня команда улетала на юниорский чемпионат. На эти два дня Нана отпросилась у Филановского, чтобы провести время с сыном. Ей, конечно, очень хотелось накормить его повкуснее, но она понимала, что перед ответственными соревнованиями каждый лишний грамм набранного веса может обернуться катастрофой, поэтому умерила кулинарный пыл, зато завалила всю квартиру фруктами.

В этот день Нана радовалась всему: и тому, что Никита дома, и тому, что убийца Кати найден и можно больше не подозревать братьев Филановских, и тому, что Любовь Григорьевна совершенно неожиданно отозвала свое поручение найти автора подметных писем, потому что сама решила проблему. Ну, сама — так сама, головной боли меньше. И даже хмурой промозглой погоде Нана Ким радовалась — до того ей было хорошо!

Вечером пришел Антон, и Никита сразу втянул его в обсуждение только что показанного по телевизору боевика. Когда мальчика, не без труда, отправили спать, Антон стал собираться: Нана позволяла ему оставаться на ночь только тогда, когда сын уезжал.

— Не уходи, — попросила она.

— А Никита?

— Не уходи, — повторила Нана.

У нее было такое чувство, как будто она готовится выполнить прыжок, но не уверена, что сможет правильно приземлиться. Лед ненадежен, он может не принять конек так, как нужно, и она или «сядет» на зубец или на заднюю треть лезвия, или вообще не сможет сохранить равновесие на опорной ноге и упадет. Но пока что она еще разгоняется, еще выполняет подход к прыжку, и до момента толчка есть время, и можно передумать и не прыгать...

— Тоша, тебе не приходило в голову, что на мне можно жениться?

— Это можно кому-то конкретному или в принципе? — уточнил Антон.

— Конкретно — тебе. Или тебе такая идея кажется неконструктивной?

Все. Она выполнила толчок и взлетела в воздух. Пути назад нет. Сможет ли она приземлиться?

— По-моему, она всегда казалась неконструктивной именно тебе, — возразил Тодоров. — Ты же всегда стеснялась наших отношений, скрывала их. Я не делал тебе предложение, потому что не хотел, чтобы ты чувствовала себя неловко, ведь тебе пришлось бы мне отказывать, да еще и объяснять, что ты меня стесняешься. А что, тебя обижает, что я не пытаюсь на тебе жениться?

Обижает? Господи, ну что он такое говорит! Нана с самого начала сделала все для того, чтобы ему и в голову не приходило, что их отношения могут закончиться бракосочетанием. Она была не настолько цинична, чтобы выходить замуж без любви, а любила она Александра Филановского, а вовсе не Антона Тодорова. По крайней мере, она до последнего времени была в этом уверена. Хорошо, что вовремя опомнилась.

— Прости меня, Тоша, — она обняла Антона и прижалась к нему, — я была такой дурой, такой непроходимой, дремучей дурой... Я даже не понимала, как сильно люблю тебя. Я больше ничего ни от кого не буду скрывать. Хочешь, я завтра же напишу заявление и уволюсь из издательства, пойду работать в другое место. Хочешь?

— Зачем? — удивился Антон.

— Чтобы ты не был моим подчиненным.

— Да я и так на тебе женюсь, — рассмеялся он. — К чему такие жертвы?

Она разгруппировалась, уверенно коснулась льда передней третью лезвия и легко и красиво выполнила выезд. Она стряхнула с себя наваждение, имя которому — Александр Филановский, и к ней снова вернулось чувство льда.

Февраль — июль 2006 г.

Литературно-художественное издание

Маринина Александра Борисовна

ЧУВСТВО ЛЬДА

Книга 2

Издано в авторской редакции
Ответственный редактор *С. Рубис*
Художественный редактор *С. Груздев*
Технический редактор *Н. Носова*
Компьютерная верстка *А. Пучкова*
Корректоры *М. Пыкина, З. Харитонова*

ООО «Издательство «Эксмо»
127299, Москва, ул. Клары Цеткин, д. 18/5. Тел.: 411-68-86, 956-39-21.
Home page: **www.eksmo.ru** E-mail: **info@eksmo.ru**

Оптовая торговля книгами «Эксмо» и товарами «Эксмо-канц»:
ООО «ТД «Эксмо». 142700, Московская обл., Ленинский р-н, г. Видное,
Белокаменное ш., д. 1, многоканальный тел. 411-50-74.
E-mail: **reception@eksmo-sale.ru**

Полный ассортимент книг издательства «Эксмо» для оптовых покупателей:
В Санкт-Петербурге: ООО СЗКО, пр-т Обуховской Обороны, д. 84Е.
Тел. отдела реализации (812) 365-46-03/04.
В Нижнем Новгороде: ООО ТД «Эксмо НН», ул. Маршала Воронова, д. 3.
Тел. (8312) 72-36-70.
В Казани: ООО «НКП Казань», ул. Фрезерная, д. 5. Тел. (8435) 70-40-45/46.
В Самаре: ООО «РДЦ-Самара», пр-т Кирова, д. 75/1, литера «Е». Тел. (846) 269-66-70.
В Екатеринбурге: ООО «РДЦ-Екатеринбург», ул. Прибалтийская, д. 24а.
Тел. (343) 378-49-45.
В Киеве: ООО ДЦ «Эксмо-Украина», ул. Луговая, д. 9. Тел./факс: (044) 537-35-52.
Во Львове: Торговое Представительство ООО ДЦ «Эксмо-Украина», ул. Бузкова, д. 2.
Тел./факс (032) 245-00-19.

Мелкооптовая торговля книгами «Эксмо» и товарами «Эксмо-канц»:
117192, Москва, Мичуринский пр-т, д. 12/1. Тел./факс: (495) 411-50-76.
127254, Москва, ул. Добролюбова, д. 2. Тел.: (495) 745-89-15, 780-58-34.
Информация по канцтоварам: **www.eksmo-kanc.ru** e-mail: **kanc@eksmo-sale.ru**

Полный ассортимент продукции издательства «Эксмо»:
В Москве в сети магазинов «Новый книжный»:
Центральный магазин — Москва, Сухаревская пл., 12. Тел. 937-85-81.
Волгоградский пр-т, д. 78, тел. 177-22-11; ул. Братиславская, д. 12, тел. 346-99-95.
Информация о магазинах «Новый книжный» по тел. 780-58-81.
В Санкт-Петербурге в сети магазинов «Буквоед»:
«Магазин на Невском», д. 13. Тел. (812) 310-22-44.

*По вопросам размещения рекламы в книгах издательства «Эксмо»
обращаться в рекламный отдел. Тел. 411-68-74.*

Подписано в печать 31.07.2006.
Формат 84×108 $^1/_{32}$. Гарнитура «Гарамонд». Печать офсетная.
Бумага тип. Усл. печ. л. 16,8.
Тираж 260 100 экз. Заказ № 4346.

Отпечатано в полном соответствии
с качеством предоставленных диапозитивов
в ОАО «Можайский полиграфический комбинат».
143200, г. Можайск, ул. Мира, 93.